Las Lecturas ELI son una completa gama de publicaciones para lectores de todas las edades, que van desde apasionantes historias actuales a los emocionantes clásicos de siempre. Están divididas en tres colecciones: Lecturas ELI Infantiles y Juveniles, Lecturas ELI Adolescentes y Lecturas ELI Jóvenes y Adultos. Además de contar con un extraordinario esmero editorial, son un sencillo instrumento didáctico cuyo uso se entiende de forma inmediata. Sus llamativas y artísticas ilustraciones atraerán la atención de los lectores y les acompañarán mientras disfrutan leyendo.

Pedro Calderón de la Barca

La vida es sueño

Reducción lingüística, actividades y reportajes
de David Tarradas Agea

Ilustraciones de Sara Gavioli

LECTURAS ELI JÓVENES Y ADULTOS

La vida es sueño
Pedro Calderón de la Barca
Reducción lingüística, actividades y reportajes de David Tarradas Agea
Control lingüístico y editorial de Carlos Gumpert
Ilustraciones de Sara Gavioli

Lectura ELI
Ideación de la colección y coordinación editorial
Paola Accattoli, Grazia Ancillani, Daniele Garbuglia (Director artístico)

Proyecto gráfico
Airone Comunicazione: Sergio Elisei

Compaginación
Airone Comunicazione: Diletta Brutti

Director de producción
Francesco Capitano

Créditos fotográficos
Archivio ELI

Fuente utilizada 11,5/ 15 puntos Monotipo Dante

© 2014 ELI s.r.l.
P.O. Box 6
62019 Recanati MC
Italia
T +39 071750701
F +39 071977851

info@elionline.com
www.elionline.com

Impreso en Italia por Tecnostampa Recanati – ERA 320.01
ISBN 978-88-536-1762-0

Primera edición febrero 2014

www.elireaders.com

Sumario

Estos iconos señalan las partes de la historia que han sido grabadas:
empezar (▶)   **parar** (■)

PERSONAJES PRINCIPALES

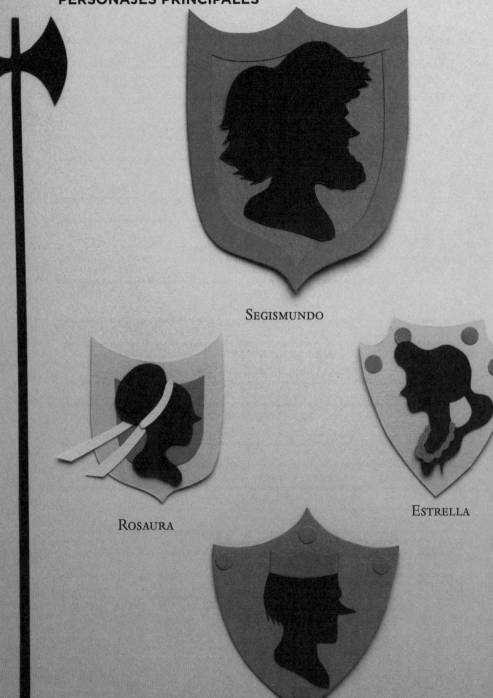

SEGISMUNDO

ROSAURA

ESTRELLA

ASTOLFO

EL REY BASILIO

CLARÍN

CLOTALDO

La obra

1 Contesta marcando (✓) la opción correcta.

1 ¿Qué monarca reina en España en 1635 cuando se estrena *La vida es sueño*?
A ☐ Felipe IV
B ☐ Felipe III
C ☐ Alfonso XIII

2 ¿A qué género literario pertenece la obra de Calderón?
A ☐ Teatro clásico
B ☐ Teatro barroco
C ☐ Teatro surrealista

3 El protagonista de la obra se llama Segismundo, nombre de origen germánico que significa...
A ☐ el rey del mundo.
B ☐ el que sueña.
C ☐ el que protege con la victoria.

4 Otro personaje teatral de la literatura universal conocido por sus monólogos filosóficos es...
A ☐ Hamlet, Príncipe de Dinamarca, en la obra del mismo título de William Shakespeare.
B ☐ Harpagón, el adinerado protagonista de *El avaro* de Molière.
C ☐ Don Juan Tenorio, protagonista de la obra del mismo nombre de José Zorrilla.

5 *La vida es sueño* transcurre en Polonia porque en aquella época este país...
A ☐ pertenecía a la Corona de España.
B ☐ era sinónimo de lugar alejado, alejado y exótico para el espectador.
C ☐ evocaba un mundo irreal y onírico.

2 Completa el crucigrama con las palabras relativas al sueño que faltan en las frases.

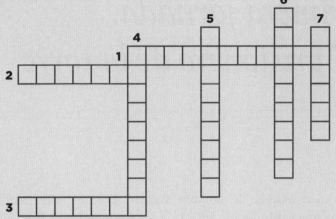

HORIZONTALES

1 Salvador Dalí en uno de los máximos representantes del
_____.

2 La luz de la luna daba un aspecto _____ e irreal al paisaje.

3 ¡Pasamos las vacaciones en una isla de _____!

VERTICALES

4 Es _____ y se levanta en medio de la noche y sale a la calle en pijama.

5 Anoche me costó mucho dormirme, a las dos de la madrugada todavía estaba _____.

6 Se levantó gritando y bañado en sudor en medio de la noche. Había sido solo una _____...

7 Tengo mucho sueño, necesito _____.

¡Tienes la palabra!

3 El título de la obra *La vida es sueño* proviene de...

A ☐ un proverbio popular.

B ☐ un anuncio publicitario de la época.

C ☐ un monólogo que pronuncia el protagonista.

Capítulo 1

Primera jornada.
El prisionero de la torre

▶ 2 Una joven vestida de hombre vagaba* por un árido paraje. El
caballo que había llevado allí a la dama con su criado Clarín se había
desbocado, y los había derribado. Empezaron a descender de un
abrupto monte. Rosaura, que acababa de llegar a Polonia tras un
accidentado viaje con la intención de limpiar su honor y vengarse, se
quejó por un recibimiento tan calamitoso*:

—Mal, Polonia, recibes a un extranjero recién llegado. Bien mi
suerte lo dice; pero ¿dónde halló piedad un infeliz?

—¿Qué haremos, señora, a pie, solos, perdidos y a esta hora en un
desierto monte, cuando el sol se va a otro horizonte?

Empezaba a anochecer, y habían ido a parar a un extraño lugar.
A la luz del crepúsculo, Rosaura vislumbró una tosca* construcción
al pie de un monte, oculta entre la vegetación y rocas, y parecida a
una cárcel. Decidieron acercarse al edificio, a pesar de su lóbrego*
aspecto, por si sus habitantes podían ayudarlos. La puerta estaba
abierta. Entraron y les sobrecogió un ruido. El escudero sintió cómo
el miedo se apoderaba de él:

—¡Qué oigo, cielo! Suenan cadenas. ¡Que me maten, si no es un
galeote* en pena!

---

vagar andar sin rumbo fijo
calamitoso/a con desgracias o adversidades
tosco/a hecho/a sin refinamiento y con materiales vulgares

lóbrego/a oscuro/a y tenebroso/a, y que inspira
temor o tristeza
un galeote preso condenado a las galeras

En el interior, se lamentaba Segismundo con una triste voz:

—¡Ay mísero de mí! ¡Ay infeliz!

El primer impulso de los dos viajeros fue irse de allí:

—Huyamos de esta torre encantada... —dijo Rosaura.

Pero en la oscuridad vieron acercarse una luz vacilante y en la penumbra distinguieron a un hombre encadenado:

—Gracias a la débil luz puedo vislumbrar una prisión oscura que de un cadáver vivo es la sepultura; y aunque parezca asombroso, un hombre acompañado solo de la luz yace* vestido con pieles. Como no podemos huir, escuchemos sus quejas, sepamos lo que dice.

Segismundo, privado de libertad desde su nacimiento, empezó a increpar a los cielos, artífices* según él de su desdicha*, por aquella injusticia:

—¡Ay mísero de mí! ¡Y ay infeliz! ¿Cielos, por qué me tratáis así? ¿Qué delito cometí contra vosotros naciendo? Si el delito mayor del hombre es haber nacido, solo quiero saber, aparte del delito de nacer, en qué más os pude ofender, para castigarme más.

Los hombres, animales y otros seres de la naturaleza han nacido también y son libres. ¿Por qué solo él era castigado?

—¿No nacieron los demás? —continuó doliéndose—. Pues si los demás nacieron, ¿qué privilegios tuvieron de los que yo no gocé jamás? Nace el ave y ¿teniendo yo más alma, tengo menos libertad? Nace la fiera y ¿yo con mejor instinto, tengo menos libertad? Nace el pez y ¿yo con más albedrío* tengo menos libertad? Nace el río y, ¿teniendo yo más vida, tengo menos libertad? ¿Qué ley, justicia o razón es negar a los hombres un privilegio que Dios le ha dado a un cristal, a un pez, a una bestia y a un ave?

Oyendo estos infortunios, Rosaura habló, delatando así su presencia:

---

yacer estar tendido/a horizontalmente
el/la artífice autor/a o causante de algo
la desdicha situación o suceso que produce gran dolor y sufrimiento

el albedrío libertad individual que requiere reflexión y elección consciente

—Temor y piedad en mí sus razones han causado.

—¿Quién mis voces ha escuchado? ¿Eres tú, Clotaldo?

—Solo es una persona triste, ¡ay de mí!, que en estas bóvedas* frías oyó tus melancolías.

Ante la presencia de Rosaura y Clarín, Segismundo, furioso y avergonzado al ver descubierto su sufrimiento, e incapaz de aceptar con resignación y estoicismo* su destino, reaccionó con violencia y, creyéndola un hombre, la amenazó:

—Pues la muerte te daré, porque conoces mis flaquezas*. Solo porque me has oído, con mis fuertes brazos te voy a hacer pedazos.

—Yo soy sordo, y no he podido escucharte—se apresuró a decir Clarín.

—Si has nacido humano —intervino Rosaura, debería bastar el postrarme* a tus pies para que me perdones la vida.

Ella le habló de manera respetuosa y cortés. Las palabras y el rostro sereno de la joven templaron su ira. Segismundo, sin saber que se encontraba ante una mujer, se sentía fascinado y confuso por su presencia:

—Tu voz ha logrado enternecerme, tu presencia suspenderme*, y tu respeto turbarme*. ¿Quién eres?

El prisionero prosiguió explicando que siempre había vivido en el aislamiento de aquella torre:

—Yo poco sé del mundo. Esta torre es para mí cuna y sepulcro. Desde que nací (si esto es nacer), solo vi y hablé a un hombre, de quien recibo las noticias.

Rosaura lo miraba con asombro y lo escuchaba con admiración. No sabía qué decirle ni qué preguntarle. Ella, que creía que no había en el mundo nadie con una vida más desgraciada que la suya, se decía

una bóveda construcción con forma curva para cubrir
el estoicismo fortaleza y dominio sobre uno mismo, especialmente ante las desgracias y dificultades
una flaqueza debilidad o falta de vigor, fuerza o resistencia

postrarse ponerse de rodillas ante alguien en señal de respeto, veneración, súplica o humillación
suspender detener o diferir por algún tiempo una acción u obra
turbar crear confusión en una persona que no sabe qué decir ni cómo reaccionar

13

que el cielo la había guiado aquel día para consolarla, si consuelo puede ser, hasta alguien que padecía infinitamente más que ella:

—Cuentan de un sabio, que un día
tan pobre y mísero estaba,
que solo se sustentaba*
de unas hierbas que comía.
¿Habrá otro —entre sí decía—
más pobre y triste que yo?
Y cuando el rostro volvió
halló la respuesta, viendo
que iba otro sabio cogiendo
las hojas que él arrojó.

Cuando la joven se disponía a contar a Segismundo sus propias desgracias y a desvelar quién era, una voz la interrumpió. Era Clotaldo, el único ser humano a quien Segismundo conocía. Al descubrir que Rosaura y Clarín se habían atrevido a violar aquella morada* clandestina, recriminó* a los centinelas haberlos dejado entrar y dio la alarma:

—¡Guardas de esta torre, acudid y, vigilantes, sin que puedan defenderse, o prendedlos o matadlos!

—¡Traición! —vociferaron los guardas.

—Guardas de esta torre, que entrar aquí nos dejasteis —dijo entonces Clarín—, puesto que nos dais a escoger, es más fácil prendernos*.

Así lo hicieron. Apareció entonces Clotaldo con una escopeta seguido de un grupo de soldados:

—Cubríos todos los rostros, que es importante, mientras estamos aquí, que no nos conozca nadie. ¡Oh vosotros —dijo dirigiéndose a los

---

sustentarse alimentarse, tener lo necesario para vivir
una morada lugar en el que alguien reside
recriminar decir a una persona lo que se considera que no ha hecho bien, mediante críticas, censuras o reproches

prender privar de la libertad o detener por un delito cometido

dos extranjeros—, que ignorantes habéis desobedecido la prohibición real, que manda que nadie ose ver el prodigio que entre estas rocas se esconde! ¡Rendid las armas y vidas, o disparo!

Segismundo salió en su defensa y Clotaldo ordenó su encierro a los soldados. Así lo hicieron. Cerraron la puerta y desde dentro se siguieron oyendo las amenazas de Segismundo:

—¡Ah cielos, hacéis bien en quitarme la libertad, porque, de otro modo, os destrozaría con mis propias manos!

Se dirigió Clotaldo a aquellos soldados enmascarados:

—Quitad las armas a ambos y vendadles los ojos, para que no vean de dónde salen ni cómo.

Rosaura entregó su espada a Clotaldo:

—Esta es mi espada, y solamente a ti la he de entregar, porque de todos eres el principal. Y si he de morir —prosiguió la dama—, quiero dejarte, en la fe de esta piedad, esta prenda* que pudo estimarse por el dueño que algún día la ciñó*. Te encargo que la guardes, porque aunque yo no sé cuál es su secreto, sé que esta dorada espada encierra grandes misterios; pues solo fiándome en ella vengo a Polonia a vengarme de un agravio*.

Al ver la espada que portaba Rosaura, Clotaldo la reconoció. Sintió una gran turbación* e interrogó a Rosaura sobre su procedencia:

—¡Santos cielos! ¿Qué es esto? Ya son más graves mis penas y confusiones, mis ansias y mis pesares*—se dijo para sí—. ¿Quién te la dio?

—Una mujer.

—¿Cómo se llama?

—Tengo que callar su nombre.

—¿Cómo sabes que esta espada encierra un secreto?

---

una prenda cosa de valor que se entrega como garantía del cumplimiento de una promesa o obligación
ceñir llevar muy cerca del cuerpo
un agravio ofensa o insulto muy graves contra la honra o

dignidad de alguien, especialmente si es injusto
la turbación estado de confusión de una persona que no sabe qué decir ni cómo reaccionar
un pesar sentimiento de pena o de dolor interior

—La persona que me la dio, me dijo: "Vete a la corte de Polonia, y, una vez allí, intenta que la vean los caballeros nobles y principales, pues uno de ellos la reconocerá y te ayudará."

A Clotaldo ya no le quedaba ninguna duda. La mujer de quien hablaba Rosaura era Violante, a quien él mismo había dejado la espada —pues era suya— como signo de reconocimiento. En cuanto a Rosaura —a quien él creía un varón—, debía de ser su hijo, pues el corazón así se lo decía. En el mismo momento a Clotaldo se le planteó un enorme dilema entre ser leal al rey, lo que le obligaba a condenar a muerte al joven por haber desobedecido la orden del monarca, o el amor de padre:

—¿La lealtad al rey no es antes que la vida y que el honor?

Y así, entre una y otra duda, con esfuerzo, Clotaldo decidió presentarse ante el rey, cumpliendo de este modo con su obligación. Se dijo que luego se sinceraría explicándole que aquel intruso era su hijo, y a continuación pediría clemencia. Si la obtenía, ayudaría al joven a vengarse de su agravio; pero si el rey decidía darle la muerte, el muchacho moriría sin saber que él era su padre. Se dirigió a los prisioneros:

—Venid conmigo, extranjeros.

Y se marcharon.

ACTIVIDADES

Comprensión lectora

1 **Di si las siguientes afirmaciones son verdaderas (V) o falsas (F).**

		V	F
1	El caballo de Rosaura estaba herido y se cayó por un barranco.	☐	☐
2	Rosaura y Clarín llegaron a Polonia de madrugada.	☐	☐
3	El prisionero de la torre estaba encerrado con una peligrosa fiera.	☐	☐
4	Los lamentos de Segismundo que oyen Clarín y Rosaura van dirigidos a Dios.	☐	☐
5	Después de oír las quejas de Segismundo, Rosaura siente compasión por él.	☐	☐
6	A Rosaura, la difícil situación de Segismundo no le sirve de consuelo, pues piensa ser más infeliz que él.	☐	☐
7	Al descubrir a Rosaura y Clarín, Segismundo tiene miedo y se esconde.	☐	☐
8	Clotaldo es el único contacto humano que Segismundo ha tenido durante su encierro.	☐	☐
9	Rosaura le da una espada a Clotaldo y le explica que la razón por la cual ha venido a Polonia es la venganza.	☐	☐
10	Clotaldo descubre que Rosaura es su "hijo" y decide ayudarlo a escapar.	☐	☐

Vocabulario

2 **Encuentra en el texto que acabas de leer los sinónimos correspondientes a las siguientes palabras.**

1 sepulcro
2 anochecer
3 miedo
4 lamentarse
5 infortunios
6 infeliz
7 cara
8 sufrir

3 Completa el siguiente resumen del capítulo precedente utilizando los tiempos correspondientes del pasado.

Rosaura (llegar) _____ₐ_____ a Polonia disfrazada de hombre y en compañía de su criado. (Ir, ellos) _____ᵦ_____ caminando por el monte cuando (encontrar) _____c_____ un edificio donde (esperar) _____d_____ refugiarse, pero (ver) _____e_____ que en él (estar) _____f_____ encerrado un hombre que (quejarse) _____g_____ de sus desdichas como prisionero.
El rey Basilio (prohibir) _____h_____ la entrada en esa torre y cuando Clotaldo (descubrir) _____i_____ que dos extranjeros (ver) _____j_____ a Segismundo, que en realidad no (ser) _____k_____ otro que el hijo del rey, los (detener) _____l_____ y los (desarmar) _____m_____ Cuando Rosaura le (dar) _____n_____ la espada que (llevar) _____ñ_____ para vengar su honor, Clotaldo (comprender) _____o_____ que era el hijo que (tener) _____p_____ con Violante. Ante esta situación, el anciano (dudar) _____q_____ y no (saber) _____r_____ qué hacer con ellos.

ANTES DE LEER

¡Tienes la palabra!

4 **¿Cómo crees que reaccionará el rey Basilio cuando sepa que Rosaura y Clarín, los dos extranjeros, han entrado en la torre y descubierto a Segismundo?**

A ☐ Decidirá condenarlos a muerte ya que han infringido las leyes establecidas.

B ☐ Les devolverá la libertad.

C ☐ Los enviará a la cárcel con Segismundo.

D ☐ Dejará que sea Clotaldo quien decida su suerte.

Capítulo 2

Primera jornada. Las revelaciones del rey astrólogo

▶ 3 Eustorgio III, rey de Polonia, había tenido tres hijos: un varón*, Basilio, y dos hijas, Clorilene —la mayor y madre de Estrella, que ya no era de este mundo— y Recisunda —la menor, que se casó en Moscovia y de esa unión nació Astolfo—. Tras la muerte del rey, Basilio lo sucedió en el trono. Pero este estaba más inclinado a los estudios que dado a mujeres. Se casó y enviudó sin haber tenido hijos. En estos últimos tiempos empezaba a desinteresarse del gobierno del reino.

Al no tener descendencia, el trono debía corresponder a uno de sus sobrinos. Tanto Estrella como Astolfo aspiraban al trono: la dama alegaba* ser la hija de la hermana mayor del rey; el duque justificaba el derecho al trono por haber nacido varón. Basilio no quería disputas y se mostró favorable a una unión entre ambos primos. Así pues, con la intención de pedir la mano a Estrella, había salido Astolfo de su Moscovia natal y llegado a Polonia.

En una sala del palacio hablaban ambos jóvenes, acompañados de soldados y damas. El joven duque se mostraba enamorado y galante con Estrella, pero la dama dudaba de la sinceridad de sus palabras:

—Si la voz se ha de medir con las acciones humanas, mal hacéis diciendo galanterías cortesanas, pues no cuadran las adulaciones que os escucho con lo que veo. Y sabed que es baja acción, madre de

---

un varón persona de sexo masculino   **alegar** exponer argumentos para defender algo

engaño y traición, el halagar* con la boca y matar con la intención.

—Muy mal informada estáis, Estrella —intentó defenderse el duque—, ya que dudáis de la veracidad de mis finezas*.

Reiteró Astolfo su deseo de casarse. Estrella no era ingenua y sabía que Astolfo quería ese enlace con ella solo por cuestiones de poder. Le reprochó entonces estar enamorado de otra de quien llevaba colgado al cuello un medallón con un retrato. Él se disponía a darle una explicación, pero sonaron trompetas y cornetas advirtiendo de la llegada del rey Basilio con su séquito.

Al entrar el viejo monarca en la sala de palacio, Estrella y Astolfo saludaron con cariño a su tío, quien los abrazó afectuosamente. Basilio no quería perjudicar a ninguno de los dos en su legítima aspiración al trono de Polonia, e intentaba no aventajar a ninguno.

El rey Basilio, por su ciencia, había merecido en el mundo el sobrenombre de docto; gozaba además de un enorme prestigio mundial como astrólogo. Pasaba los días enteros mirando tablas, haciendo cálculos, observando la posición y el movimiento de los planetas, y leyendo libros que le permitían descifrar los signos que escribe el cielo, ya sean sucesos adversos ya benignos.

Basilio pidió silencio a los presentes —sus sobrinos y la corte de Polonia— para explicar algo que iba a sorprender a todos: el misterio de Segismundo. Les habló entonces de su difunta esposa, la reina Clorilene, y del hijo de que ella había tenido. Antes del nacimiento del niño, su madre había soñado que de las entrañas* le nacía un monstruo con forma de víbora que la mataba; así ocurrió en cierto modo: la reina murió en el parto, al tiempo que se producían extraordinarios fenómenos (tuvo lugar uno de los más terribles eclipses nunca vistos, los cielos oscurecieron, temblaron los edificios, llovieron piedras y corrieron ríos de sangre).

---

halagar decir interesadamente a alguien cosas que le agraden
una fineza hecho o dicho para manifestar amor o cariño a alguien

las entrañas órganos internos de la cavidad abdominal

Continuó Basilio:

—Yo, acudiendo a mis estudios,
en ellos y en todo miro
que Segismundo sería
el hombre más atrevido,
el príncipe más cruel
y el monarca más impío*,
por quien su reino vendría
a ser parcial y diviso,
escuela de las traiciones
y academia de los vicios;
y él, de su furor llevado,
entre asombros y delitos,
había de poner en mí
las plantas, y yo rendido
a sus pies me había de ver

Para conjurar tan terrible destino y así evitar las grandes catástrofes que los astros le habían vaticinado, Basilio declaró que el niño había nacido muerto. Mandó construir una torre en un apartado lugar y promulgó edictos públicos amenazando con graves penas y leyes para impedir la entrada de alguien en aquel sitio prohibido. Y encerró allí al príncipe sin más compañía que Clotaldo, el único que hasta entonces le había hablado, tratado y visto. Clotaldo había sido su carcelero pero también su ayo* y maestro, pues le había enseñado las ciencias e instruido en la religión católica.

Llegado el momento de designar a un sucesor, el viejo monarca dudaba. Dando crédito a los hados* y para librar a su reino de la opresión de un tirano, había ido en contra de la ley sagrada de la

---

impío/a sin piedad ni compasión
el/la ayo/a persona encargada del cuidado y la educación
de los niños

un hado fuerza desconocida que determina el desarrollo de
los acontecimientos

sucesión. Era también consciente de la injusticia que suponía el castigar a un ser humano por delitos que no había cometido. Pero, sobre todo, aunque creía que los presagios se cumplirían necesariamente, se decía que el hombre puede sobreponerse a ellos, pues si bien el destino influye en la libertad de elección, no lo fuerzan. Confiaba en el libre albedrío del ser humano y en su capacidad para superar y evitar los augurios*. El rey Basilio deseaba dar pues una oportunidad al príncipe. Para ello, al día siguiente, el hijo clandestino iba a ser trasladado de su prisión al palacio. Sin saber quién era él mismo ni quién era su padre, Segismundo ocuparía el lugar del rey y todos le jurarían obediencia. Si obraba con rectitud, era prudente, cuerdo* y bondadoso, y desmentía el hado, el príncipe sería el heredero natural. Si se mostraba soberbio, osado, atrevido y cruel, y daba rienda suelta* a sus vicios y a su naturaleza salvaje, el soberano lo devolvería a la cárcel y podría castigarlo con la conciencia tranquila. Entonces, sus dos sobrinos, unidos por el sacramento del matrimonio, reinarían.

Los allí presentes no podían creer las maravillas que estaban oyendo. Al terminar de explicar sus intenciones, todos los vasallos* aclamaron la vuelta de su legítimo señor:

—Danos a nuestro príncipe, que ya lo reclamamos como rey.

A lo que el rey Basilio respondió:

—Vasallos, os lo agradezco. Mañana lo veréis.

—¡Viva el gran rey Basilio! —exclamaron todos, y se fueron.

Llegaron Clotaldo, Rosaura y Clarín. Clotaldo detuvo al rey antes de que se marchara y se quedó a solas con él:

—¿Te puedo hablar?

—¡Oh Clotaldo, sé muy bien venido!

Ignorando lo que acababa de pasar en aquella sala, Clotaldo se

---

un augurio señal o indicio que se interpreta como el anuncio de algo futuro
cuerdo/a que está en su sano juicio

dar rienda suelta a no poner límite o dejar actuar con total libertad
un/a vasallo/a persona sujeta a un señor mediante el vínculo de dependencia y de fidelidad

postró a los pies de su señor para explicarle lo ocurrido y le suplicó, por una vez, hacer una excepción y no aplicar su dura ley:

—Señor, me ha sucedido una desgracia, algo que en cambio tendría que ser para mí causa de la mayor alegría. Este bello joven, osado o inadvertido —dijo señalando a Rosaura—, entró en la torre, señor, y al príncipe vio, y es...

—No te preocupes, Clotaldo —lo interrumpió el rey—. Otro día, confieso que lo sentiría; pero ya he revelado el secreto, así que no importa que él lo sepa. Perdono a esos presos.

Clotaldo y los prisioneros sintieron un gran alivio.

—¡Vivas mil siglos, gran señor!

Clotaldo decidió no comunicar al joven que era su padre y se limitó a liberar a los dos prisioneros:

—Extranjeros peregrinos, libres estáis.

—Tus pies beso mil veces —le agradeció Rosaura—. Señor, me has dado la vida y, como gracias a ti estoy vivo, seré eternamente esclavo tuyo.

Clotaldo la animó a que vengara la ofensa sufrida:

—No ha sido la vida lo que yo te he dado, porque un hombre bien nacido, si está agraviado, no vive; y puesto que has venido a vengarte de un agravio, según tú mismo me has dicho, yo no te he dado vida, puesto que tú no la has traído; ya que vida infame* no es vida.

Ante estas palabras, Rosaura prometió limpiar su honor cuanto antes. Clotaldo le devolvió entonces la espada:

—Toma el acero bruñido* que trajiste; que yo sé que te bastará, teñido en sangre de tu enemigo, para vengarte; porque este acero que fue mío —quiero decir este instante, este rato que en mi poder lo he tenido— sabrá vengarte.

---

infame que carece de buena fama, de honra o de estimación   **bruñido/a** que brilla por haber sido pulido/a

—En tu nombre me lo ciño por segunda vez, y en él juro mi venganza, aunque sea mi enemigo el más poderoso.

—¿Y lo es mucho?

Rosaura no quería revelarle el nombre de aquel que le había hecho perder la honra:

—Tanto que prefiero no decírtelo. No porque no me fíe de tu prudencia, sino para que tu piedad no se vuelva contra mí.

—Ganarías con decírmelo; ya que así evitarías que, sin saberlo yo, ayude a tu enemigo.

—¡Oh, cuando sepa quién es! —dijo para sí Rosaura.

Armándose de valor, la joven decidió confesarle el nombre de su ofensor y el objeto de su venganza:

—Para que no pienses que estimo tan poco esa confianza, debes saber que se trata ni más ni menos que de Astolfo, duque de Moscovia.

Clotaldo no acababa de entender la situación, pues Rosaura había mantenido hasta entonces su aspecto de hombre, y replicó que la deshonra* era imposible:

—Si has nacido moscovita, el que es tu señor difícilmente ha podido agraviarte. A un vasallo no le ofende lo que haga su señor. Vuélvete a tu patria, pues, y olvida este asunto que te conduce a la catástrofe.

—Yo sé que, aunque mi príncipe es, me agravió.

—Dime ya quién es.

No le quedó a Rosaura otro remedio que confesarle entonces su condición de mujer, y contarle cómo Astolfo le había quitado su honor y ahora iba a casarse con Estrella.

Rosaura y Clarín se fueron, dejando a Clotaldo solo y confundido, temiendo por su honor, pues el honor de su hija era también el suyo:

---

la deshonra pérdida del honor

—¡Escucha, aguarda, detente!
¿Qué confuso laberinto
es este, donde no puede
hallar la razón el hilo?
Mi honor es el agraviado,
poderoso el enemigo,
yo vasallo, ella mujer.
Descubra el cielo camino;
aunque no sé si podrá,
cuando en tan confuso abismo
es todo el cielo un presagio,
y es todo el mundo un prodigio.

Comprensión lectora

1 Une cada pregunta con la respuesta adecuada.

1 ☐ ¿Por qué Astolfo y Estrella son los aspirantes al trono de Polonia?
2 ☐ ¿Cómo muere la mujer del rey Basilio?
3 ☐ ¿Por qué Estrella no está segura del amor de Astolfo?
4 ☐ ¿Por qué el rey Basilio es conocido en todo el mundo?
5 ☐ ¿Qué sucede el día del nacimiento de Segismundo?
6 ☐ ¿Qué importante decisión toma el rey?
7 ☐ ¿Por qué el monarca decide liberar a los presos?
8 ☐ ¿Cuáles son las condiciones que el rey pone a su hijo para dejarlo reinar?
9 ☐ ¿De quién se quiere vengar Rosaura?
10 ☐ ¿Cuáles son las funciones de Clotaldo?

A Es el carcelero de Segismundo pero también su ayo y maestro.
B Por su reputación de gran astrólogo.
C Al dar a luz.
D Oficialmente, el rey Basilio no ha tenido descendencia.
E Hay un eclipse solar.
F Del duque de Moscovia.
G El monarca tiene dudas y quiere dar a su hijo la oportunidad de reinar.
H Segismundo debe actuar con rectitud, ser prudente y bondadoso.
I Este lleva un medallón que representa a otra mujer.
J Él mismo ya ha desvelado el secreto de Segismundo.

Gramática

2 En todas las épocas los poderosos han recurrido a la astrología para contraer matrimonio, hacer un viaje o organizar una campaña militar. Completa el siguiente texto utilizando la forma correspondiente del futuro y conocerás la profecía que lleva al rey Basilio a encerrar a su hijo.

Su madre (morir) _____ₐ_____ en el parto y el rey (tener)
_____ᵦ_____ un hijo que (ser) _____ᵧ_____ injusto y cruel. El

heredero al trono (destruir) _____ d _____ el reino y (humillar) _____ e _____ a su padre. El día de su nacimiento (haber) _____ f _____ un eclipse de sol, los cielos (oscurecerse) _____ g _____, los edificios (temblar) _____ h _____, (llover) _____ i _____ piedras y (correr) _____ j _____ ríos de sangre.

Vocabulario

3 **Tras leer el texto, rellena la siguiente de sangre información sobre la familia real de Polonia.**

1 Eustorgio III era el _____ de Segismundo.
2 Recisunda era la _____ del rey Basilio.
3 La difunta esposa del rey Basilio era la _____ de Recisunda.
4 Estrella es la _____ de Segismundo.
5 Astolfo es uno de los _____ de Eustorgio III.
6 La madre de Estrella era la _____ de Segismundo.
7 Astolfo y Estrella son _____ del rey Basilio.
8 Basilio es el _____ de Eustorgio III.
9 Eustorgio III era el _____ de Clorilene, la mujer de Basilio.

Expresión escrita

4 **La astrología y las predicciones son uno de los temas de este capítulo. Has visto ya cómo es el futuro de Segismundo según el oráculo. Escribe cómo piensas que será dentro de 20 años tu futuro y el mundo que te rodea.**

ANTES DE LEER

¡Tienes la palabra!

5 **Rosaura termina confesando a Clotaldo quién es la persona objeto de su venganza. ¿Cuál es la reacción del ayo?**

A ☐ Está confuso y muestra su inquietud ante el futuro.
B ☐ Tiene claro que lo esencial es salvar el honor de su hija.
C ☐ Para él solo la lealtad a su señor cuenta.

Capítulo 3

Segunda jornada. Segismundo en palacio

▶ 4 Clotaldo bajó a la celda donde estaba Segismundo. Llevaba un brebaje* destinado a dormir al prisionero. Apenas bebió un trago de la pócima*, Segismundo quedó como muerto, tan poderosa y eficaz era aquella droga.

Rápidamente unas gentes de confianza del monarca lo pusieron en un coche y lo trasladaron al palacio, donde todo el mundo estaba prevenido de cuál era su rango. Lo acostaron en la cama de Basilio, con orden de, una vez despierto, servirlo como al propio rey.

Tras cumplir las órdenes, Clotaldo fue a dar cuenta a su señor de cómo se habían desarrollado los acontecimientos. El fiel sirviente estaba ausente cuando el rey había anunciado sus intenciones relativas a su hijo, por lo qué ignoraba el objeto de todo aquello. Clotaldo preguntó pues a su señor las razones que le empujaban a obrar así. Basilio le explicó entonces que quería comprobar si la prudencia de Segismundo vencía los augurios funestos* que el cielo le había predicho, pues creía que el hombre predomina en las estrellas:

—Si es magnánimo* y vence a su destino, reinará; pero si muestra ser cruel y tirano, me veré obligado a encarcelarlo de nuevo. Por eso lo he traído dormido en un sueño profundo, para evitarle la

---

un brebaje bebida extraña o desagradable
una pócima bebida con poderes mágicos

funesto/a con consecuencias dramáticas
magnánimo/a generoso, con nobleza y grandeza de espíritu

desesperación si tiene que volver a la prisión, pues siempre podré decirle que cuanto vio lo soñó.

Clotaldo manifestó su desacuerdo con este modo de proceder, pero ya no era posible echarse atrás, pues el príncipe había despertado y venía a su encuentro. Basilio prefirió retirarse, no sin antes encargar a Clotaldo revelar a su hijo la verdad para ayudarlo así a superar más fácilmente la prueba que le aguardaba.

Se fue el rey y apareció entonces Clarín. Clotaldo lo reconoció y le preguntó si traía alguna novedad. El criado de Rosaura le contó que su señora, siguiendo sus consejos, había recuperado sus vestidos femeninos y, habiendo cambiado de nombre y, presentándose como sobrina de Clotaldo, tal como este le había indicado, vivía en palacio sirviendo a Estrella. La suerte del infeliz Clarín había sido muy distinta, pues pasaba hambre y nadie parecía preocuparse por él. Recordó entonces a Clotaldo que conocía secretos que podía contar ante el rey y los príncipes. Clotaldo lo tomó a su servicio.

Apareció Segismundo, acompañado de músicos tocando instrumentos y cantando. Los criados lo ayudaron a vestirse con ricas ropas. El príncipe estaba aturdido*, sorprendido y confuso. Dudaba de la realidad de la extraordinaria experiencia que estaba viviendo:

—¡Válgame el cielo, qué veo! ¡Válgame el cielo, qué me ocurre! ¿Yo en palacios suntuosos? ¿Yo entre telas y brocados*? ¿Yo rodeado de criados solícitos*? ¿Yo despertar en lecho tan excelente? Decir que sueño es engaño; bien sé que despierto estoy. ¿Yo Segismundo no soy? Dadme, cielos, desengaño. Decidme: ¿qué pudo ser esto que a mi fantasía sucedió mientras dormía, que aquí me he llegado a ver? Pero sea lo que sea, ¿por qué me pongo a discurrir*? Voy a dejarme servir, y que ocurra lo que tenga que ocurrir.

---

aturdido/a confundido/a, sin saber qué decir ni cómo reaccionar **solícito/a** que actúa con prontitud y diligencia
un brocado tela de seda entretejida con hilos de oro o plata **discurrir** reflexionar para comprender y encontrar una respuesta

Inmediatamente se adelantó Clotaldo a presentarle sus respetos, lo que aumentó la extrañeza de Segismundo:

—Es Clotaldo. Pero, ¿cómo es que quien en prisión me maltrata, con tal respeto ahora me trata? ¿Qué es lo que pasa?

Clotaldo, tal como le había encargado el rey, se apresuró a revelarle su condición de príncipe heredero de Polonia y la razón por la que lo habían tenido oculto y ahora lo devolvían a palacio para comprobar si era capaz de vencer el destino. En vez de calmarlo, aquellas explicaciones provocaron una violenta reacción en Segismundo:

—Vil*, infame y traidor. Privarme de mis derechos ha sido una traición al reino. Traidor fuiste con la ley, lisonjero* con el rey, y cruel conmigo fuiste; y así el rey, la ley y yo, entre desdichas tan crueles, te condenan a morir en mis manos —dijo Segismundo, abalanzándose* sobre él con la intención de matarlo.

Uno de los criados se interpuso para ayudarlo y el príncipe amenazó con echarlo por la ventana. Clotaldo huyó, mientras se condolía* del orgullo con que se estaba comportando Segismundo:

—¡Ay de ti, que soberbia vas mostrando, sin saber que estás soñando!

Otro criado intentó hacerle ver que Clotaldo no había hecho más que cumplir órdenes, a lo que Segismundo respondió:

—En lo que no es justa ley no se ha de obedecer ni al rey.

Su actitud empezó a volverse amenazante contra el criado, e intervino entonces Clarín saliendo en apoyo del príncipe, lo que gustó a este:

—Solo tú en tan nuevos mundos me has agradado.

—Señor, soy un grande agradador de todos los Segismundos.

Llegó entonces Astolfo a saludar a su príncipe, haciendo gala* de soberbia y altanería. Discutieron, ya que Astolfo consideraba que no

---

vil muy malo/a, innoble o digno/a de desprecio

lisonjero/a que adula de manera exagerada e interesada para conseguir un favor o ganar su voluntad

abalanzarse dirigirse hacia algo o alguien de forma brusca y violenta

condolerse sentir compasión o lástima por el sufrimiento de otro

hacer gala de mostrar con presunción

había sido saludado con la adecuada cortesía. El duque le advirtió que eran parientes y de igual dignidad. La respuesta cortante de Segismundo no se hizo esperar. Intervino entonces el mismo criado de antes, quien intentó disculpar a Segismundo ante Astolfo evocando las particulares condiciones en las que el príncipe que se había criado, pero recriminando a continuación a Segismundo sus modales. La discusión subió de tono* y la irritación de Segismundo hacia el criado iba en aumento.

En aquel momento apareció Estrella, quien lo saludó respetuosamente. Quedó Segismundo deslumbrado por la belleza de la joven y sintió una instantánea pasión. Pero se propasó* al solicitarle su mano para besarla.

—Sed más galán cortesano —le respondió ella.

Viendo la actitud de Segismundo, Astolfo temió que si el príncipe mostraba demasiado interés por su prometida, sus proyectos de matrimonio podían fracasar. El criado volvió a intervenir para reprochar la incorrección por ser Estrella quien era y por encontrarse presente Astolfo. Segismundo, en un arrebato de violencia, lo tomó en sus brazos y lo arrojó por el balcón, dándole así la muerte. Astolfo no podía creer la escena que acababa de presenciar. Estrella se fue horrorizada. Ante tal comportamiento, Astolfo le aconsejó sopesar* sus actos pues se podían volver contra él, ya que comportándose como una bestia y no como hombre, podía terminar en una jaula en vez de en un palacio. Pero Segismundo no atendió y también a él lo amenazó con cortarle la cabeza.

Se marcho también Astolfo y entró Basilio, preguntando qué había sucedido con el criado:

—No ha sido nada —respondió cínicamente Segismundo—. A un hombre que me ha cansado de ese balcón he arrojado.

---

subir de tono crecer en intensidad **sopesar** examinar con atención los pros y los contras
propasarse cometer una falta de respeto

—¿Tan rápidamente tu venida cuesta una vida el primer día? El rey, que había venido a recibir a su hijo y heredero lo reprendió por el homicidio que había cometido y le hizo observar que estaba actuando tal como las estrellas habían pronosticado. Ciego de rencor, Segismundo no se arredró* y recriminó a su padre amargamente haberlo tenido tantos años encarcelado, criado como un animal y tratado como un monstruo, sin la educación debida. Es más, se sentía con derecho a pedirle cuentas por la libertad, la vida y el honor que le había quitado en todo aquel tiempo.

—Eres bárbaro y atrevido —contestó indignado Basilio—. Cumplió su palabra el cielo.

Segismundo lo miró con desprecio. Antes de irse, Basilio, profundamente dolido como padre y rey, le advirtió:

—Sé humilde y blando, porque quizás estás soñando, aunque crees que estás despierto.

Entró Rosaura que venía buscando a Estrella. Temía encontrarse con Astolfo, a quien intentaba evitar por consejo de Clotaldo. Al advertir la presencia del príncipe, quiso volver sobre sus pasos, pero él la detuvo con un gesto. Ella lo reconoció como el prisionero de la torre y Segismundo, que la había conocido vestida de hombre, también tuvo la impresión de haberla visto antes. Quedó Segismundo de nuevo prendado* de ella e hizo ardientes elogios a la hermosa joven.

Apareció Clotaldo y Rosaura pidió permiso para retirarse. Segismundo se enojó pues no soportaba el rechazo de Rosaura. El príncipe pasó de cortés a grosero; le recordó que acababa de arrojar a un hombre por el balcón y que podía arrojar también por allí su honor. Ella, valerosa, increpó* duramente al príncipe por su bárbara condición, fiel reflejo de las predicciones del horóscopo. Ante aquella

---

arredrarse sentir miedo   **increpar** reprender con dureza y severidad
prendado/a encantado/a o enamorado/a

provocación, el príncipe decidió satisfacer sus salvajes deseos y abusar carnalmente* de ella:

—¡Dejadnos solos! ¡Cerrad esa puerta y que no entre nadie!

Clarín obedeció, pero Clotaldo se quedó para intentar defender el honor de su hija, aunque haciendo eso podía perder la vida. Clotaldo le aconsejó ser más pacífico, si deseaba reinar. Y añadió:

—No por verte dueño y señor de todos tienes que ser cruel, porque quizás todo es un sueño.

—Veré —contestó irritado Segismundo—, dándote muerte, si es sueño o si es verdad.

El príncipe, fuera de sí, fue a sacar la daga*, pero Clotaldo se lo impidió y acabaron luchando. Rosaura salió del aposento gritando pidiendo auxilio. Llegó Astolfo y se interpuso entre los dos hombres. Clotaldo cayó a los pies del duque. Para proteger al anciano ayo, desafió a Segismundo, quien vio entonces la ocasión de saldar las cuentas pendientes* con su primo. Ambos contendientes desenvainaron* las espadas, y en aquel momento llegaron el rey y Estrella. La aparición del soberano, obligó a los rivales a devolver las espadas a sus fundas. Por un momento, Estrella había temido por la vida de Astolfo. Basilio recriminó a Segismundo el no respetar las canas* de Clotaldo. Antes de marcharse, el príncipe confirmó su voluntad de vengarse de la injusticia de la que había sido objeto. Ante lo ocurrido, el rey había tomado la decisión de devolverlo a la prisión:

—Pues antes que lo veas,
volverás a dormir adonde creas
que cuanto te ha pasado,
como fue bien del mundo, fue soñado.

---

carnalmente relativo al deseo sexual
una daga arma blanca de hoja ancha, corta y puntiaguda
saldar las cuentas pendientes pagar completamente una deuda existente

desenvainar sacar de una funda
respetar las canas mostrar respeto hacia los ancianos

Comprensión lectora

1 **Elige la respuesta más adecuada.**

1 El brebaje que ha preparado Clotaldo va a servir para...
A ☐ matar a Astolfo y salvar el honor de Rosaura.
B ☐ dormir a los centinelas y hacer salir a Segismundo de la cárcel.
C ☐ dormir al príncipe y llevarlo a palacio.

2 El rey Basilio desea libera a su hijo para...
A ☐ enviarlo fuera de Polonia.
B ☐ que pueda reinar tal como el oráculo ha presagiado.
C ☐ darle una oportunidad y que pueda demostrar que puede reinar.

3 ¿Qué noticias trae Clarín acerca de Rosaura?
A ☐ Ha huido de palacio y ha vuelto a Polonia.
B ☐ Ha retomado su apariencia de mujer y ahora es la dama de Estrella.
C ☐ Continúa disfrazada de hombre y quiere vengarse de Astolfo.

4 Segismundo, en uno de sus arrebatos de ira, ...
A ☐ le corta la cabeza a Astolfo.
B ☐ tira a un criado por el balcón.
C ☐ estrangula a Clotaldo.

5 Ante la llegada de su padre, Segismundo...
A ☐ le pide perdón por el homicidio que ha cometido.
B ☐ le reprocha por todos los años que ha estado encerrado.
C ☐ le agradece todo lo que ha hecho por él.

6 Cuando Segismundo se ve como rey, se muestra...
A ☐ cruel e inhumano.
B ☐ amable y bondadoso.
C ☐ indeciso e incapaz.

7 Cuando Segismundo ve a Rosaura...
A ☐ piensa que es una desconocida muy hermosa.
B ☐ la reconoce sin dudar un solo momento.
C ☐ su cara le dice algo, pero no recuerda las circunstancias.

Gramática

2 **El rey Basilio ha dejado a Clotaldo una serie de órdenes. Transforma los siguientes infinitivos en la forma correcta del imperativo utilizando "tú"; a continuación, haz lo mismo con "usted".**

1 <u>Bajar</u> a la celda de Segismundo.
2 <u>Hablar</u> con él para prepararlo.
3 <u>Darle</u> un brebaje para dormirlo.
4 <u>Quitarle</u> las cadenas.
5 <u>Ponerlo</u> en un coche.
6 <u>Trasladarlo</u> a palacio.
7 <u>Acostarlo</u> en la cama.

Y cuando se despierte...

8 <u>Ir</u> a verlo.
9 <u>Decirle</u> toda la verdad.
10 <u>Servirlo</u> como a un rey.

Expresión oral

3 **Imagina que, como Segismundo, un día te despiertas y descubres que todos tus deseos son órdenes. ¿Cuáles serían las primeras medidas de gobierno que tomarías? ¿Qué pequeños caprichos personales te permitirías en estas circunstancias?**

ANTES DE LEER

¡Tienes la palabra!

4 **Tras presenciar la pelea entre Segismundo y Astolfo, Estrella teme por la vida de su prometido y parece que su actitud está cambiando. ¿Qué crees que pasará con ellos?**

A ☐ Estrella olvidará sus celos y al final se casará con él.
B ☐ Seguirá con sus celos y reproches y va a romper la relación.
C ☐ Astolfo se cansará de su actitud y decidirá romper el compromiso.

Capítulo 4

Segunda jornada.
Un duro despertar

▶ 5   Se encontraron solos Adolfo y Estrella en un aposento* de palacio. El duque consideró la exactitud de las predicciones sobre Segismundo, que una por una se estaban cumpliendo. Asimismo el joven reprochó a Estrella la frialdad con que esta lo trataba. Ella le recordó entonces el retrato que él traía colgado al cuello y le recomendó guardar sus galanterías para la dama representada en aquel medallón.

Llegó en aquel momento Rosaura. Desde el lugar donde estaba, no la podían ver. Estuvo escuchando, sin ser vista. Ver de nuevo a quien le había robado su honor la turbaba. En aquel momento, Astolfo reiteraba sus promesas a Estrella y le afirmaba que le entregaría el retrato que era la causa de sus celos. Cuando Astolfo salió del aposento, Estrella llamó a Rosaura con el nombre que la joven había adoptado al entrar en palacio tras haber recuperado su aspecto femenino:

—Astrea.

—Señora mía.

En poco tiempo, Rosaura había ganado el aprecio de su señora, quien le daba constantes pruebas de cariño y confianza, y se había convertido en su confidente. Estrella le puso al corriente de lo que ocurría con su primo Astolfo, con el que iba a casarse. Le contó como

un aposento habitación grande y lujosa

40

lo que más le había pesado había sido que, en su primera entrevista, él llevaba colgado al cuello el retrato de una dama. Para evitar una situación embarazosa si pedía a Astolfo ella misma entregarle el retrato, solicitó a su dama hacerlo por ella. Se fue, dejando a su sirvienta sola. Mientras esperaba el regreso de Astolfo, Rosaura pensaba en cómo las desgracias parecían caer sobre ella. Estaba ansiosa y no encontraba una forma adecuada de resolver su situación. Pero lo que temía ante todo era ser reconocida por Astolfo:

—Si no puedo decir quién soy a Astolfo, y él llega a verme, ¿cómo disimularé? Pues aunque fingirlo* intenten la voz, la lengua y los ojos, le dirá el alma que mienten. ¿Qué haré?

Llegó por fin Astolfo, con el retrato. Esperaba encontrarse con Estrella y, al ver a Rosaura, se detuvo atónito, pues la reconoció al instante. Rosaura negó conocerlo y le aseguró que ella era Astrea, que la confundía con otra. Astolfo la interrumpió:

—Basta de engaños, Rosaura, porque el alma nunca miente; y aunque como a Astrea te mire, como a Rosaura te quiere.

—No he entendido a Vuestra Alteza, y así no sé responderle. Lo único que diré es que Estrella me ha mandado esperarle aquí, pedirle que me entregue el retrato, y que yo se lo lleve.

—Aunque haces esfuerzos, ¡oh qué mal disimulas, Rosaura!

Astolfo se negó a entregarle el medallón y le encargó burlón:

—Le dirás, Astrea, a la infanta que habiéndome pedido el retrato, para que lo estime y lo aprecie, prefiero enviarle el original: y tú puedes llevárselo, ya que lo llevas contigo.

Rosaura intentó sin éxito arrebatarle el retrato:

—Suéltalo, ingrato.

—Es en vano. ¡Vive Dios que no estará en manos de otra!

---

fingir hacer creer algo que no es verdad

—¡Dámelo!

—Ya basta, Rosaura mía.

Finalmente, la joven admitió ser Rosaura. Entró entonces Estrella inopinadamente y los sorprendió forcejeando*, lo que la llevó a exigir una explicación. Rosaura, para salir del paso*, se inventó a toda prisa que, mientras esperaba la llegada de Astolfo, se acordó de que ella tenía un medallón suyo en la manga y al querer verlo se le cayó al suelo. En ese momento entró el duque y recogió el medallón caído, y, en vez de darle el de la otra dama, se negaba a entregar a Rosaura ninguno de los dos. Con ruegos y persuasiones, ella había intentado, sin conseguirlo, recuperar el suyo, que es el que Astolfo tenía en aquel momento en la mano. La veracidad de su historia la evidenciaba el parecido del retrato con ella:

—El que tiene en la mano es mío; verás cómo se me parece.

—Soltad, Astolfo, el retrato —le ordenó Estrella quitándoselo y dándoselo a su dama.

Recuperada la prenda, Rosaura se marchó sin importarle las consecuencias del incidente. Estrella pidió entonces al duque el "otro" retrato. Astolfo, que evidentemente no tenía ningún otro retrato, no sabía cómo salir de aquella situación:

—Aunque quiero, hermosa Estrella servirte y obedecerte, no podré darte el retrato que me pides, porque...

Crecía el despecho* de Estrella:

—Eres villano y grosero amante. No quiero que me lo entregues, ya no lo quiero....

Y se marchó muy ofendida e indignada tras haber renunciado al retrato. Astolfo se lamentó entonces de que la llegada de Rosaura había trastornado todos sus planes.

◈ ◈ ◈

forcejear hacer fuerza para vencer una resistencia
salir del paso desembarazarse de cualquier manera de un asunto o dificultad

el despecho resentimiento o indignación debido a una ofensa

En la solitaria torre, Segismundo, encadenado y vestido con pieles como al principio, yacía durmiendo en el suelo. Lo rodeaban Clotaldo, Clarín y dos criados.

—Dejadlo aquí —mandó Clotaldo, pues hoy su soberbia acaba donde empezó.

Uno de los criados ató la cadena tal como estaba antes. Señalando a Clarín con el dedo, Clotaldo mandó a sus criados:

—Encerrad también a este.

—¿Por qué a mí?

—Porque debe estar en la cárcel quien tantas cosas ha visto y quien tantos secretos sabe, para que no los pueda divulgar.

Los criados se lo llevaron preso. Entró entonces Basilio con el rostro embozado*.

—¿Clotaldo? —dijo el monarca.

—Señor —contestó sorprendido el aludido ante el aspecto de su soberano—, ¿así viene Vuestra Majestad?

—¡Ay de mí! Me ha movido la necia curiosidad de ver la reacción de Segismundo al despertar.

—Mírale allí reducido a su miserable estado.

—¡Ay, príncipe desdichado, y en triste momento nacido! ¡Despierta ya!

—Mire señor, está hablando entre sueños.

—¿Qué soñará ahora? Escuchemos pues.

Segismundo seguía creyéndose poderoso y hablaba mientras soñaba:

—Piadoso príncipe es el que castiga a los tiranos. Muera pues Clotaldo en mis manos, bese mi padre mis pies.

—Con la muerte me amenaza —exclamó horrorizado Clotaldo.

---

embozado/a con el rostro cubierto hasta los ojos

—A mí con rigor y afrenta—se alarmó el soberano—. Quiere que acabe rendido a sus pies.

El desdichado joven continuó un rato lanzando amenazas contra su progenitor y acabó por recobrar el sentido tras el efecto del narcótico:

—Pero, ¡ay de mí!, ¿dónde estoy?

El rey fue a colocarse en un lugar donde su hijo no podía verlo pero que le permitía escuchar lo que decía. Dirigiéndose a Clotaldo le dijo:

—Ya sabes lo que tienes que hacer.

Acabó de despertarse Segismundo totalmente azorado*:

—¿Soy yo por ventura*? ¿Soy el que preso y encadenado llego a verme en tal estado? ¿No sois mi sepulcro vos, torre? Sí. ¡Válgame Dios, qué de cosas he soñado!

Clotaldo fingió llegar en ese momento para despertarlo:

—¿Te vas a estar todo el día durmiendo?

Segismundo estaba completamente confundido y era incapaz de diferenciar qué había sido sueño y qué realidad:

—No, ni aún ahora he despertado; que según, Clotaldo, entiendo, todavía estoy durmiendo, y no estoy muy engañado. Porque si lo que vi palpable* y cierto ha sido soñado, lo que veo será incierto; y veo estando dormido que sueño estando despierto.

—Dime lo que soñaste —le pidió Clotaldo.

—Suponiendo que fue un sueño, no diré lo que soñé sino lo que vi.

Segismundo recordaba cómo se había visto convertido en príncipe, rodeado de lujo y de los honores de sus vasallos:

—Yo desperté, y yo me vi (¡colmo de la ironía!) en un lecho* que parecía un lecho de flores. Allí, mil nobles rendidos a mis pies me llamaron su príncipe, y me dieron galas*, joyas y vestidos.

---

azorado/a confundido/a, sin saber qué decir ni cómo reaccionar
por ventura indica que se considera posible lo que se afirma
palpable que se puede tocar con la mano

un lecho una cama
una gala vestido elegante y lujoso

Prosiguió contándole como entonces había aparecido él anunciándole que era el príncipe de Polonia.

—Imagino que las buenas noticias trocaron* tu sorpresa en alegría…

—No por mucho tiempo. Te di dos veces muerte por traidor.

—¿Tanta severidad para mí?

—Era señor de todos, y de todos me vengaba.

Prosiguió relatando con todo lujo de detalles lo que había acontecido en aquella extraordinaria jornada. Pero lo que más había quedado grabado en su memoria, lo que seguía más presente tras su despertar, era el efímero amor que había sentido por una mujer:

—Solo a una mujer amaba

que fue verdad, creo yo,

en que todo se acabó,

y esto solo no se acaba.

Se marchó el rey enternecido por lo que acababa de oír. Antes de irse también, Clotaldo le recordó:

—Segismundo, aunque sea en sueños, nada no se pierde por actuar bien.

Clotaldo desapareció por la misma puerta por la que se había ido el monarca. Segismundo se quedó solo y comenzó un largo monólogo:

—Es verdad. Pues reprimamos esta salvaje condición, esta furia, esta ambición por si alguna vez soñamos. Estamos en un mundo tan singular, que el vivir solo es soñar; y la experiencia me enseña que el hombre que vive sueña lo que es hasta despertar. Sueña el rey que es rey, y vive con este engaño mandando, disponiendo y gobernando. Sueña el rico en su riqueza que preocupaciones le causa; sueña el pobre que padece su miseria y su pobreza; sueña el que a medrar* empieza,

---

trocar cambiar una cosa por otra   **medrar** mejorar de posición social o económica

sueña el que se afana* y pretende; sueña el que agravia y ofende; y en el mundo, en conclusión, todos sueñan lo que son, aunque ninguno lo entiende. Yo sueño que estoy aquí en estas prisiones confinado*, y soñé que me vi en otro mucho mejor estado.

> ¿Qué es la vida? Un frenesí*.
> ¿Qué es la vida? Una ilusión,
> una sombra, una ficción,
> y el mayor bien es pequeño;
> que toda la vida es sueño,
> y los sueños, sueños son.

---

afanarse esforzarse mucho
confinado/a que no puede salir

el frenesí exaltación violenta de una pasión o un sentimiento

Comprensión lectora

1 **Di si las siguientes afirmaciones son verdaderas (V) o falsas (F).**

V F

1 Rosaura quiere recuperar sea como sea el medallón de Astolfo. ☐☐

2 El duque le da el medallón sin poner reparos. ☐☐

3 Astolfo piensa que la llegada de Rosaura a Polonia pone en peligro sus planes de boda. ☐☐

4 Clarín es encarcelado porque está al corriente de muchas cosas. ☐☐

5 El rey va a visitar a Segismundo para decirle que todo fue un sueño. ☐☐

6 Segismundo dice a Clotaldo que en su sueño lo consideraba como a un traidor. ☐☐

7 Cuando todos se van, Segismundo comprende que lo han engañado y que lo que ha vivido no es un sueño. ☐☐

2 **Los dos últimos versos de este capítulo dan el título a la obra. Condensan la visión barroca de la vida, considerándola como...**

A ☐ pasajera y aparente.

B ☐ dura y difícil.

C ☐ un camino de rosas.

Expresión oral

3 **Segismundo cuenta con detalles a su ayo lo que cree que ha sido un sueño. Relata un sueño o una pesadilla que hayas tenido.**

Gramática

4 Transforma los siguientes imperativos afirmativos en la forma negativa.

1 ¡Suéltalo!
2 ¡Dámelo!
3 ¡Dejadlo aquí!
4 ¡Encerrad a este también!
5 ¡Mírale!

6 ¡Despierta ya!
7 ¡Dime lo que soñaste!
8 ¡Perdone, señor!
9 ¡Escuchemos, pues!
10 ¡Ten piedad!

Vocabulario

5 Estrella ésta celosa por culpa del medallón que Altolfo lleva en el cuello. Relaciona estas otras joyas con la parte del cuerpo o de la ropa donde se suelen llevar puestas.

1 ☐ anillo
2 ☐ collar
3 ☐ pulsera
4 ☐ pendientes
5 ☐ gemelos
6 ☐ broche
7 ☐ pirsin

A ☐ pecho
B ☐ mangas de la camisa
C ☐ cuello
D ☐ muñeca
E ☐ dedo
F ☐ orejas
G ☐ ombligo

ANTES DE LEER

¡Tienes la palabra!

6 Clotaldo hace creer a Segismundo que todo ha sido un sueño.

A ☐ Segismundo descubrirá que todo ha sido realidad.
B ☐ Segismundo continuará creyéndolo el resto de su vida.
C ☐ Segismundo tendrá la duda de si aquello fue real o imaginado el resto de su vida.

Capítulo 5

Tercera jornada. Segismundo liberado por el pueblo

▶ 6 Clarín estaba preso en una torre. Solo en su encierro, se dolía del hambre y de tener como única compañía arañas y ratones. Ignoraba qué le esperaba. Consideraba que merecía en cierto modo el castigo que estaba padeciendo, pues estaba preso por haber permanecido en silencio, cuando hubiera tenido que "cantar"* como hacen todos los criados, y más aún si se llaman "Clarín"*. Se oyeron ruidos de tambores y voces:

—Esta es la torre en que está —gritó un soldado—. ¡Echad abajo la puerta! ¡Entrad todos!

—¡Vive Dios! ¡Es cierto que me buscan pues dicen que aquí estoy! ¿Qué me querrán?

Eran soldados que venían a liberar al príncipe. Al encontrar a Clarín, creyeron que de él se trataba y lo aclamaron como a su soberano:

—Tú eres nuestro príncipe. Ni admitimos ni queremos sino al señor natural, y no a un príncipe extranjero.

—¡Viva el gran príncipe nuestro! —gritaron todos.

Clarín comprendió que no se trataba de una broma. Se preguntó si en aquel reino de locos no era costumbre arrestar a alguien cada día, hacerlo luego príncipe, y luego devolverlo a la torre. Como tenía la impresión de que así sucedía, decidió seguirles el juego* y prefirió mantener el equívoco.

---

cantar revelar un secreto
un clarín instrumento musical de viento parecido a la trompeta

seguir el juego obrar del modo que se espera de uno para obtener algún beneficio

—Todos le dijimos a tu padre que solo te reconocemos a ti por príncipe, no al de Moscovia que él pretende imponernos.

—¿Le habéis perdido el respeto a mi padre? —les espetó Clarín.

—Fue lealtad de nuestros pechos.

—Si fue lealtad, yo os perdono.

Se pusieron a gritar los soldados:

—¡Sal a restaurar tu imperio! ¡Viva Segismundo!

Al oír su nombre, apareció Segismundo y se aclararon las cosas. Un soldado le explicó que el pueblo se negaba a aceptar a un príncipe extranjero y deseaban coronar a su legítimo señor. Para ello ya había un ejército levantado en armas, a la cabeza del cual deseaban ponerlo.

—Gran príncipe Segismundo, señor nuestro, tu padre, el gran rey Basilio, temiendo que los cielos cumplan las más terribles profecías que dicen que lo derrocarás*, pretende quitarte el derecho y darle la corona a Astolfo, duque de Moscovia. Pero el pueblo, sabiendo que tiene rey natural, no quiere que un extranjero venga a darle órdenes. Y así, despreciando el hado, el pueblo ha penetrado en la torre y te ha ido a buscar donde vivías preso, para que, valiéndote de tus armas y saliendo de esta torre, restaures tu imperial corona y cetro*, y se la quites a un tirano. Sal, pues; que en ese desierto te aclama un ejército entero. La libertad te espera. ¡Escúchalos!

Fuera se oían voces:

—¡Viva Segismundo, viva!

El pueblo quería pues hacerlo rey y lo había liberado. Pero Segismundo era ahora un hombre desengañado* y, así advertido de la posibilidad de estar viviendo un sueño y de que todo poder es transitorio, decidió que no volvería a dejarse engañar por nuevas vanidades y rehusó el ofrecimiento.

---

derrocar hacer caer
un cetro vara de metal precioso, símbolo del poder real

desengañado/a que ha perdido la esperanza y confianza puestas en algo o alguien

—¿Otra vez queréis que sueñe grandezas que ha de deshacer el tiempo? ¿Otra vez queréis que vea entre sombras la majestad y la pompa* desvanecida del viento? ¿Otra vez queréis que toque el desengaño? Pues no ha de ser así. Miradme otra vez sujeto a mi fortuna. Como sé que toda esta vida es sueño, idos, sombras, que fingís hoy a mis sentidos muertos cuerpo y voz, siendo verdad que ni tenéis voz ni cuerpo; que no quiero majestades fingidas, pompas no quiero. Fantásticas ilusiones que al soplo menos ligero del aura* han de deshacerse. Para mí no hay fingimientos; que, desengañado ya, sé bien que la vida es sueño.

Los soldados hacían todo lo posible para convencer à Segismundo de que todo aquello era real y bien real:

—Si piensas que te engañamos, vuelve los ojos a ese monte y verás a toda la gente que aguarda ahí para obedecerte.

—Ya otra vez vi esto mismo tan clara y distintamente como ahora lo estoy viendo, y fue un sueño —respondió Segismundo desconfiado.

Pero finalmente, Segismundo decidió abandonarse a sus sueños, aunque teniendo presente que eran tales, para evitar el terrible desengaño del despertar:

—La vida es tan corta, soñemos, soñemos otra vez. Pero sabiendo que son sueños, menor será la decepción. Y con esta prevención de que, aunque cierto, es todo el poder prestado y ha de volverse a su dueño, ¡atrevámonos a todo!

Decidió entonces ponerse al frente de la sublevación contra su padre:

—Vasallos, os agradezco vuestra lealtad. Yo, osado y diestro, os libraré de la extranjera esclavitud. Coged las armas, que pronto veréis mi inmenso valor. Pretendo tomar las armas contra mi padre y pronto he de verlo arrodillado a mis pies.

—¡Viva Segismundo, viva! —vociferaba el pueblo al pie de la torre.

---

la pompa exhibición para demostrar riqueza e importancia   **el aura** viento suave y apacible

Llegó Clotaldo preguntando la causa de todo aquel alboroto. Clarín se dijo que aquella vez el príncipe sí que iba a despeñar* al anciano por el monte. También el ayo estaba seguro de que el príncipe volvería a encolerizarse y que esta vez perecería* definitivamente en sus manos:

—Me postro ante tus reales pies. Ya sé que voy a morir.

Pero la reacción y las palabras de Segismundo causaron el asombro de todos los presentes:

—Levántate, levántate, padre, del suelo, que tú has de ser norte y guía de quien me fíe; que ya sé que debo mi educación a tus esfuerzos y a tu mucha lealtad. Ven a mis brazos.

—¿Qué dices? —respondió el sorprendido anciano.

Segismundo le explicó entonces que, escarmentado* con su experiencia anterior, temía estar soñando de nuevo, y había decidido obrar siempre bien, en la vida real o en sueños, como él le había enseñado:

—Que estoy soñando, y que quiero
obrar bien, pues no se pierde
obrar bien, aun entre sueños.

Creyendo en la sinceridad del cambio de actitud del príncipe, Clotaldo le dijo que no deseaba ofenderlo, pero que si decidía finalmente hacerle la guerra al rey Basilio, él no podría ayudarlo ya que era leal al viejo soberano y le pidió permiso para marchar al servicio de su verdadero señor. Dicho esto, se puso a sus pies esperando la muerte. El príncipe dejó estallar su ira, y lo acusó de traidor e ingrato. Pero inmediatamente la incertidumbre de no saber si estaba despierto o durmiendo lo hizo controlarse. Despidió pues al viejo ayo de manera caballeresca y le dio cita en el campo de batalla:

—Clotaldo, vuestro valor os envidio y agradezco. Idos a servir al rey, que en el campo nos veremos.

---

despeñar tirar desde un lugar alto
perecer morir de forma violenta

escarmentar extraer una enseñanza de errores pasados

Se fue Clotaldo no sin agradecer al rey su magnanimidad. Segismundo se quedó solo y dispuesto a ir a batallar:

—A reinar, fortuna, vamos;
no me despiertes, si duermo,
y si es verdad, no me duermas.
Mas, sea verdad o sueño,
obrar bien es lo que importa.
Si es verdad, por serlo;
si no, por ganar amigos
para cuando despertemos.

Se encontraban Basilio y Astolfo comentando la rebelión popular que se había desatado. La situación parecía sin salida, la guerra, inevitable. Se iban pues a enfrentar los que querían a Astolfo por rey y los partidarios de Segismundo. Ambos bandos se preparaban y ya se oían a lo lejos los tambores de guerra. Astolfo confiaba en que vencería y llegaría a ceñir la corona de Polonia que el rey Basilio le había prometido:

—Dadme un caballo, e iré a la lucha como un rayo.

Se quedó solo Basilio. Comprendió que nada se podía hacer contra el destino, ya que las medidas que había tomado para evitarlo lo habían llevado fatalmente hasta él:

—Quien piensa que huye del riesgo, al riesgo se dirige. Con lo que yo quería impedir me he perdido. Y yo mismo mi patria he destruido.

Entró Estrella y se presentó ante el rey para darle cuenta de las terribles tragedias que se avecinaban a causa de la sublevación popular. Venía a pedirle hacer algo para evitar un baño de sangre:

—El pueblo se ha dividido en dos bandos. Si con tu presencia, gran señor, no tratas de frenar el tumulto, verás tu reino teñido de

su sangre. Que todo son desdichas y tragedias. Tanta es la ruina de tu imperio que espanta.

Llegó entonces Clotaldo, quien contó como el pueblo había penetrado en la torre para liberar a Segismundo, y que este, movido por la audacia, se había puesto a la cabeza de la rebelión. El rey comprendió que el enfrentamiento entre ambos ya era inevitable:

—Dadme un caballo, porque yo quiero vencer valiente en persona a un hijo ingrato. Y en la defensa ya de mi corona, lo que la ciencia erró venzan las armas.

Estrella se puso lealmente de su parte y se fue detrás del rey. Clotaldo se dispuso a partir hacia la batalla, pero Rosaura lo detuvo. A pesar del viento de guerra que soplaba en el reino, lo que seguía preocupando a la joven eran sus propios problemas, aquellos que la habían conducido a Polonia. Astolfo la había reconocido a pesar de sus esfuerzos por ocultar su identidad; pero no había por ello renunciado a su matrimonio con Estrella, y no tenía ninguna intención de reparar la ofensa que había hecho al honor de Rosaura. Esta, desesperada, recordó a Clotaldo su promesa de ayudarla a vengarse. La ocasión parecía propicia a la venganza. Clotaldo le confesó que en efecto había pensado dar muerte a Astolfo; solo que, cuando Segismundo había querido matarlo, el duque había salido en defensa suya con valentía y temeridad, librándolo así de una muerte segura. Clotaldo no era un ingrato, y no podía cumplir lo prometido:

—¿Cómo quieres que ahora yo, con el alma agradecida, pueda dar muerte a quien le debo la vida?

Rosaura utilizó diversos argumentos para convencerlo de que él estaba obligado a ayudarla. Discutieron sobre las obligaciones que les imponía el honor; pero Clotaldo no accedió a las demandas de la joven, sobre todo porque el reino ya estaba lo bastante dividido como para aumentar la confusión. Le propuso entonces darle una dote* para poder pasar el resto de sus días en un convento; de esta manera, pensaba ser leal con el reino, generoso con ella y agradecido con Astolfo. Pero la joven no tenía la más mínima intención de aceptar la propuesta de Clotaldo y no contaba con dejar las cosas tal cual. Furiosa, Rosaura anunció que mataría ella misma a Astolfo para vengar su honor. Clotaldo intentó en vano convencerla de que aquello era una locura en la que perdería la vida y el honor:

—¿Qué intentas?

—Mi muerte.

—Mira que eso es despecho.

—Es honor.

—Es desatino*.

—Es valor.

—Es frenesí.

—Es rabia, es ira.

—¿No hay remedio?

—No.

—Piensa bien si hay otros modos...

—Perderme de otra manera —contestó Rosaura yéndose.

Cuando se fue, Clotaldo comprendió que los acontecimientos lo desbordaban:

—Pues has de perderte, espera, hija, y perdámonos todos.

Y se fue tras ella.

---

una dote conjunto de dinero o bienes   un desatino dicho o hecho muy equivocado o desacertado

Comprensión lectora

1 **Di si las siguientes afirmaciones son verdaderas (V) o falsas (F).**

V F

1 A Clarín le parece que la situación en la que se encuentra, encerrado en la torre, es injusta. ☐☐

2 Los soldados confunden a Clarín con el príncipe, al que vienen a liberar. ☐☐

3 El pueblo de Polonia rechaza a Astolfo como futuro rey. ☐☐

4 Segismundo acepta inmediatamente ponerse al mando del ejército rebelde. ☐☐

5 El príncipe agradece a su ayo todo lo que ha hecho por él. ☐☐

6 Ante tanto reconocimiento de la parte de Segismundo, Clotaldo decide ayudarlo a recuperar su trono. ☐☐

7 Estrella pide al rey Basilio que huya lo más lejos posible, ya que teme por su vida. ☐☐

8 Antes de irse a la batalla, Clotaldo decide vengar a su hija. ☐☐

9 Rosaura, viendo que será difícil vengar su honor, prefiere entrar en un convento. ☐☐

Gramática

2 **Clotaldo está dispuesto a darle una dote a su hija para que se vaya a un convento. Completa el siguiente texto con las preposiciones "por" o "para" para saber más sobre esta costumbre muy corriente en la época.**

En el siglo XVII, la demanda _____ a _____ entrar en los conventos aumentó considerablemente _____ b _____ la difícil condición económica, _____ c _____ los problemas _____ d _____ dotar convenientemente a las hijas _____ e _____ conseguir un matrimonio ventajoso y también _____ f _____ las numerosas vocaciones que despertaron los movimientos religiosos de la época. _____ g _____ muchas de estas mujeres la entrada al convento era solo temporal. Iban _____ h _____ realizar sus estudios. Pero otras, entraban contra su voluntad, forzadas _____ⱼ_____ sus padres. Las causas de este encierro involuntario eran variadas, pero a menudo, era _____ⱼ_____ salvar las leyes del honor. Así, estas nuevas religiosas, _____ₖ_____ poder entrar, debían poner a disposición del convento una dote, es decir, pagar una cantidad de dinero o entregar bienes _____ₗ_____ contribuir al sostenimiento de la congregación. No todo el mundo podía pagarla, _____ₘ_____ lo tanto, en los monasterios había sobre todo hijas de nobles o de personas con una posición económica privilegiada.

Gramática

3 Encuentra el intruso en estas series de palabras.

1 corte • corona • hado • cetro • trono • reino
2 guerra • armas • dote • batalla • ejército • soldados
3 arrogante • ingrato • traidor • tirano • generoso • cruel
4 vulgo • pueblo • plebe • duque • vasallos • gente

Expresión oral

4 Comenta los argumentos que dan los soldados y el pueblo a Segismundo para que este se ponga al mando de su reino.

ANTES DE LEER

¡Tienes la palabra!

5 Clotaldo no ha logrado convencer a Rosaura de que abandone su deseo de venganza. La joven se va enfadada y Clotaldo la sigue. ¿Qué sucederá?

A ☐ Astolfo matará a Rosaura para cubrir su secreto.
B ☐ Rosaura contará todo a Estrella para vengarse y esta matará a Astolfo.
C ☐ Rosaura conseguirá casarse con Astolfo.
D ☐ Rosaura recapacitará y al final seguirá el consejo de su padre y entrará en un convento.

Capítulo 6

Tercera jornada.
La fuerza del destino

Entre sones de música militar, llegaron soldados marchando en pie de guerra. Segismundo, ataviado* de pieles, iba al frente. Lo acompañaba Clarín. El príncipe sentía como se le henchía* el pecho, inflamado de entusiasmo marcial, pero enseguida recordó que estaba soñando y refrenó ese ímpetu. Se oyó entonces el sonido de un clarín. Una hermosa mujer montada a caballo se acercaba a todo galope. Clarín reconoció inmediatamente al jinete:

—¡Vive Dios! ¡Es Rosaura!

—¡El cielo a mi presencia la restaura! —exclamó Segismundo.

Se fue Clarín, dejando solo a Segismundo con su señora. Rosaura llegó armada con una espada y una daga. La infeliz venía a arrojarse a los pies del príncipe para pedirle ayuda. El príncipe, sorprendido, se volvió a sentir atraído por ella. La joven le relató la historia de su vida y sus desgracias. Pero antes que nada, quiso explicar el motivo de haberse presentado ante él bajo aspectos diferentes:

—Me has visto varias veces ignorando quién soy, pues las tres me he presentado ante ti en diferente traje y forma. La primera, cuando estabas en la prisión, me creíste varón. La segunda me admiraste como mujer, cuando soñaste la pompa de tu majestad. La tercera es hoy, que soy monstruo de una especie y otra, entre galas de mujer armas de varón

---

ataviado/a vestido/a   **henchirse** aumentar de volumen

me adornan. Y para que te compadezcas y así decidas ampararme*, es necesario que oigas los sucesos de mi trágica fortuna.

Antes de narrar sus propias desgracias, Rosaura contó a Segismundo la vida de su madre, con la que la suya tenía un trágico paralelo. Rosaura había nacido en la corte de Moscovia, hija de una hermosa y desdichada dama. Siendo joven, esta se enamoró de un hombre cuya identidad Rosaura desconocía y que la engañó. Él fue quien le dejó la espada que ahora ella ceñía. Ella era pues el fruto de aquellas relaciones, marcada por la desdicha desde la cuna, para ser, a su vez, engañada de modo semejante. Le contó a continuación como Astolfo le había robado su honor con falsas promesas:

—Astolfo... ¡Ay de mí! ¡Al nombrarlo el corazón se me enfurece, tal como ocurre cuando se nombra al enemigo! Astolfo es el ingrato quien, olvidando sus promesas de matrimonio, vino a Polonia a casarse con Estrella. Yo ofendida, yo burlada, quedé triste, quedé loca, quedé muerta...

Y no había vuelto a pronunciar una palabra. Hasta que por fin, Violante, su madre, encontrándose un día las dos a solas, rompió el silencio. Rosaura se confió entonces a ella y pudo desahogarse. Su madre escuchó sus quejas. Como ella había sufrido en sus carnes la misma injuria que su hija, no la juzgó, y la envió a Polonia para obligar al culpable a pagar la deuda de su honor. Le aconsejó para ello vestirse de hombre y le entregó la espada que su padre había dejado en prenda:

—Parte a Polonia y procura que los más nobles vean esa espada que te adorna, que quizás alguno la reconozca y puede ser que hallen piadosa acogida tus fortunas y consuelo tus congojas*.

A partir de ahí, Rosaura recapituló los últimos sucesos: su azarosa* llegada a Polonia, el encuentro con Segismundo en la torre, el perdón

amparar proteger o favorecer
la congoja angustia o pena muy intensas

azaroso/a con abundantes percances, riesgos o dificultades

del rey, su entrada al servicio de Estrella, sus intentos para desbaratar*
los planes de matrimonio entre Adolfo y su señora, y, para terminar,
el cambio de actitud de Clotaldo, quien consideraba ahora la boda de
Astolfo y Estrella ventajosa para el reino y que la aconsejaba contra su
honor. La fogosa Rosaura no podía aceptar la solución del convento, y
por ello había decidido unirse a Segismundo:

—Yo, viendo que tú, ¡oh valiente Segismundo!, a quien hoy toca
la venganza, tomas las armas contra tu padre, vengo a ayudarte.
Pues, fuerte caudillo*, a los dos nos importa impedir y deshacer estas
concertadas bodas; a mí para que el que dijo ser mi esposo no se case,
y a ti para evitar que, al unir sus dos estados, dispongan de argumentos
más fuertes para reclamar la legitimidad de la corona.

Segismundo la escuchó con atención y mil pensamientos se
agolpaban* en su cabeza. La historia de Rosaura le confirmaba que lo
que había acabado creyendo que era un sueño era de hecho realidad, y
habló para sí mismo:

—Cielos, si es verdad que sueño, no es posible que quepan en un sueño
tantas cosas. ¡Válgame Dios! Si soñé aquella grandeza en que me vi, ¿cómo
ahora esta mujer me refiere detalles tan claros? Luego fue verdad, no
sueño; y si fue verdad, ¿por qué lo considero un sueño? Pues, ¿tan parecidas
a los sueños son las glorias que las verdaderas son tenidas por mentirosas,
y las falsas por ciertas? ¿Tan semejante es la copia al original que hay duda
en saber si es ella misma? Pues si es así, y se desvanece entre sombras la
grandeza y el poder, la majestad y la pompa, sepamos aprovechar este rato
que nos toca, pues solo se goza en ella lo que entre sueños se goza.

Sintió entonces el impulso de aprovecharse de Rosaura, sola y
desvalida* ante él. Pero recapacitó* y, ante la duda de si aquello era
sueño o realidad, dominó sus instintos:

---

desbaratar hacer fracasar
el caudillo persona que guía y manda a un grupo de gente
agolparse venir juntos/as y de golpe

desvalido/a que carece de ayuda y protección
recapacitar reflexionar con detenimiento y atención sobre los propios actos

—Si es sueño—dijo para sí—, ¿quién por vanagloria humana pierde una divina gloria? Acudamos a lo eterno, que es la fama vividora. Rosaura está sin honor. ¡Y a un príncipe le toca el dar honor y no quitarlo! ¡Vive Dios, que he de conquistar su honra antes que mi corona!

Y se dispuso a salir para librar la batalla. Rosaura no sabía todo lo que había pasado por la cabeza de Segismundo, por lo que, al verlo marcharse, creyó que el príncipe era insensible ante sus desgracias:

—Señor, ¿así te ausentas? ¿Ni una sola palabra merece mi congoja?

Segismundo, turbado todavía por los deseos carnales que había suscitado en él la joven, la tranquilizó antes de irse:

—No te responde mi voz, porque quiero que te hablen por mí mis obras.

Apareció entonces Clarín y le contó sus últimas peripecias: cómo lo habían encerrado en una torre, y cómo el pueblo había liberado a Segismundo y aclamado como a su nuevo rey. Pero el criado traía para la joven una importante noticia de otra índole:

—Sé el secreto de quién eres…

Estaba a punto de revelarle la identidad de su padre, cuando en aquel momento, los tambores anunciaron que un escuadrón armado salía del palacio sitiado para enfrentarse con Segismundo. Rosaura, sin dudarlo, salió corriendo a ponerse al lado de su defensor.

—¡Viva nuestro invicto rey! —vociferaban unos.

—¡Viva nuestra libertad! —gritaban otros.

Clarín, que se había quedado solo, miedoso a la vez que prudente, prefirió ocultarse detrás de unas rocas para no correr ningún peligro. Apenas se había escondido, cuando se oyó un ruido de armas. Dejando atrás la batalla, llegaban huyendo el rey, Astolfo y Clotaldo. Su ejército había sido derrotado y se apresuraban a ponerse a salvo.

—¿Hay rey más infeliz? ¿Hay padre más perseguido? —gimió Basilio.

—Ya tu ejército huye vencido —dijo Clotaldo.

—Los traidores quedan vencedores—se lamentó Astolfo.

—En tales batallas—declaró el viejo rey— los que vencen son leales, los vencidos son los traidores. Huyamos, Clotaldo, pues, de la cruel e inhumana severidad de un hijo tirano.

Sonó entonces un disparo y Clarín, alcanzado por una bala perdida en su escondite, cayó herido:

—¿Quién es este infeliz soldado que ha caído a nuestros pies todo teñido en sangre? —preguntó Basilio.

—Soy un hombre desdichado —dijo Clarín—, que por quererme esconder de la muerte, la busqué. Huyendo de ella, topé* con ella, pues no hay lugar secreto para la muerte. Es inevitable que el destino se cumpla. Por eso volved al campo de batalla, pues, aunque huyendo os libréis de la muerte, vais a morir de todos modos, si Dios ha decidido que vuestra hora ha llegado.

Tras estas palabras, cayó muerto. Basilio recapacitó en lo dudoso de los hados, en la fuerza incontrolable del destino, por encima de cualquier cálculo astrológico. El viejo monarca comprendió que cuando se intenta contrariar el destino, se está en verdad corriendo a su encuentro:

—¡Las diligencias del hombre son vanas para oponerse a las fuerzas superiores! Y yo, para librar a mi patria de muertes y sediciones*, vine a entregarla a los mismos de quien pretendí librarla.

Adolfo instó al rey para tomar una cabalgadura y huir. Sin embargo, Basilio rechazó esta solución, convencido de que el destino acabaría cumpliéndose:

—Si Dios ha decidido que yo muera, o si la muerte me aguarda, aquí, hoy la quiero buscar, esperándola cara a cara.

topar encontrar por azar o inesperadamente   **la sedición** levantamiento colectivo y violento contra la autoridad

Se oyeron trompetas y apareció Segismundo vencedor con toda la compañía. Creyendo que el rey se había ocultado en el bosque, ordenó a sus soldados encontrarlo. Pero Basilio se presentó valientemente ante su hijo, y se prosternó a sus pies:

—Si andas buscándome, aquí estoy, príncipe, a tus pies. Pisa mi cerviz*, y huella* mi corona; arrastra mi decoro y mi respeto; véngate de mi honor; sírvete de mí cautivo*… y que, a pesar de tantas prevenciones, se cumplan las predicciones del horóscopo.

Segismundo tomó entonces la palabra ante aquella corte de Polonia que había sido testigo de tantos hechos admirables. Explicó entonces que el horror que acababa de vivir el reino se debía a que Basilio se había equivocado al educarlo como si fuera un animal, tratándole de manera inhumana, fiándose de los vaticinios de las estrellas, sin darle la oportunidad de hacerse un hombre de verdad y aprender a dominar y controlar sus instintos. Así pues, Basilio había destruido las buenas cualidades que podía tener y, por el contrario, estimulado los vicios que quería evitar. Hizo ver a todos los presentes que, si bien los vaticinios se habían cumplido, su padre no los había interpretado correctamente. Para Segismundo, el destino escrito en los astros es quizás infalible, pero se puede triunfar sobre él:

—La fortuna no se vence
con injusticia y venganza,
porque antes se incita más.
Y así, quien vencer aguarda
a su fortuna, ha de ser
con prudencia y con templanza*.

Pero también reconoció que él, al rebelarse contra el poder de su padre, había obrado indebidamente. Así, decidido a vencer su hado,

---

la cerviz parte posterior del cuello
hollar humillar, despreciar
cautivo/a privado/a de libertad

la templanza moderación o sobriedad en los apetitos o los sentimientos.

ante la asombrada asamblea que veía ante ella a un hombre nuevo, Segismundo se postró ante su padre:

—Señor, levántate, dame tu mano. Humilde, te tiendo el cuello para que te vengues. Me rindo a tus pies.

Basilio, maravillado de la transformación experimentada por su hijo, lo reconoció como nuevo rey de Polonia:

—Hijo, tan noble gesto te honra. ¡Has vencido tu sino*, y príncipe eres!

—¡Viva Segismundo, viva! —aclamaron entusiastas los presentes.

La primera decisión de su reinado fue obligar a Astolfo a pagar la deuda de honor que tenía con Rosaura, tomándola como esposa. Aunque reconocía su culpa, el duque puso reparos* a aquella unión, diciendo que era una bajeza y una infamia para un hombre de su condición desposar* a alguien de tan oscuro origen.

—No prosigas —intervino Clotaldo—, porque Rosaura es tan noble como tú, Astolfo, y mi espada lo defenderá en el campo. Es mi hija, y esto basta.

—¿Qué dices? —replicó sorprendido Astolfo.

—Que hasta verla casada, noble y honrada, no quise revelar mi paternidad. Es una historia muy larga… pero, en fin, es hija mía.

—Pues siendo así, cumpliré mi palabra.

Seguidamente, el nuevo rey se dirigió a Estrella:

—Para que Estrella no quede desconsolada, viendo que pierde a un príncipe de tanto valor y fama, yo he de casarme con ella, que en méritos y fortuna si no le excedo, al menos lo igualo. Dame la mano.

—Yo gano en merecer tanta dicha —exclamó la dama.

Prometió a continuación a Clotaldo una gran recompensa por su lealtad. Todo el mundo parecía haber obtenido satisfacción, cuando surgió de la multitud un soldado que lo interpeló con arrogancia:

---

el sino fuerza desconocida que determina el desarrollo de los acontecimientos

poner reparos a hacer advertencias para expresar la oposición
desposar unirse en matrimonio

—Si honras de este modo a quien no te ha servido, a mí, que te ayudé a sublevarte contra el rey y te saqué de la torre en que estabas, ¿qué me darás?

La respuesta de Segismundo fue fulminante:

—¡La torre! ¡Y no saldrás nunca de ella hasta que mueras! Que el traidor no es necesario una vez pasada la traición.

Los presentes se maravillaban ante la escena a la que estaban asistiendo:

—Tu ingenio a todos admira — afirmó Basilio.

—¡Qué condición tan cambiada! —exclamó Astolfo.

—¡Qué discreto* y qué prudente! —asintió Rosaura.

Y terminó diciendo Segismundo que hay que actuar en toda ocasión como si la felicidad humana fuera un sueño, atentos siempre a que podemos despertar de él y hallarnos ante la cruda verdad de la vida:

—¿Qué os admira? ¿Qué os espanta,
si fue mi maestro un sueño,
y estoy temiendo en mis ansias
que he de despertar y hallarme
otra vez en mi cerrada
prisión? Y cuando no sea,
el soñarlo solo basta;
pues así llegué a saber
que toda la dicha humana,
en fin, pasa como sueño.
Y quiero hoy aprovecharla
el tiempo que me dure,
pidiendo de nuestras faltas
perdón, pues de pechos nobles
es tan propio el perdonarlas.

discreto/a moderado/a, sin exceso

Comprensión lectora

1 **Elige la respuesta más adecuada.**

1 Rosaura viene a ver a Segismundo en el campo de batalla para pedirle...

A ☐ consejo. **B** ☐ una dote. **C** ☐ ayuda.

2 Rosaura le cuenta al príncipe toda su vida haciendo un paralelismo con la de...

A ☐ su madre, Violante.
B ☐ Clorilene, la madre del príncipe.
C ☐ Estrella, su señora.

3 Rosaura decide luchar en el bando de Segismundo porque...

A ☐ su madre se lo había aconsejado cuando se fue de Moscovia.
B ☐ sabe que él es más poderoso y podrá obtener una compensación.
C ☐ ambos tiene interés en impedir la boda de Estrella y Astolfo.

4 Tras oír toda la historia de la vida de Rosaura, Segismundo se da cuenta de que lo que ha vivido ha sido...

A ☐ realidad. **B** ☐ un engaño. **C** ☐ una pesadilla.

5 Cuando el rey Basilio ve que su ejército ha sido vencido por el de Segismundo, Clotaldo le recomienda que...

A ☐ huya de Polonia.
B ☐ se suicide con su espada.
C ☐ pida perdón a su hijo.

6 Cuando Segismundo se presenta ante su padre como vencedor decide...

A ☐ pedirle perdón y ponerse a su disposición.
B ☐ no volver a verlo en su vida.
C ☐ matarlo con la ayuda de Clarín.

7 Astolfo termina casándose con Rosaura porque...

A ☐ ella puede probar su condición de noble.
B ☐ Clotaldo lo amenaza con una espada.
C ☐ teme la reacción de Segismundo.

Vocabulario

2 Sustituye las palabras o expresiones que están en negrita por las palabras equivalentes que tienes a continuación.

nacimiento • disfrazado • destino • confiar

1 Rosaura le explica a Segismundo el motivo de haberse **presentado bajo diferentes aspectos**.

2 La vida de la joven está marcada de desdichas desde su **cuna**.

3 Violante le entregó la espada que su padre le había **dejado en prenda**.

4 ¡Has vencido tu **sino**!

Gramática

3 Muchos acontecimientos se precipitan en el desenlace de la obra. Utiliza el tiempo adecuado del indicativo o del subjuntivo para conocer algunos de ellos.

1 Rosaura va al encuentro de Segismundo porque considera necesario que (saber) _____ toda su historia.

2 Rosaura consigue que el culpable (pagar) _____ la deuda de su honor.

3 Con la muerte de Clarín, el rey Basilio llega a la conclusión de que es inevitable que el destino (cumplirse) _____.

4 Clotaldo sugiere al rey que (coger) _____ un caballo y que (huir) _____ de Polonia.

5 Segismundo cree que su deber (ser) _____ perdonar a su padre.

6 Clotaldo confiesa que (tener) _____ una hija llamada Rosaura.

7 A Segismundo no le agrada que el soldado traidor (intervenir) _____ con altanería y decide enviarlo a la cárcel.

Expresión escrita

4 La obra tiene un final feliz. ¿Podrías escribir otro más trágico para todos los personajes?

Pedro Calderón de la Barca (1600-1681)

Su vida

Pedro Calderón de la Barca nace en Madrid en el año 1600. Se educa con los jesuitas en Madrid, y continúa los estudios en las universidades de Alcalá y Salamanca hasta 1620.

Decide abandonar sus estudios y sigue una carrera militar. En sus años jóvenes su nombre aparece envuelto en varios incidentes violentos, como una acusación de homicidio y la violación de la clausura de un convento de monjas. De su vida militar existen pocas noticias, aunque consta que participa en 1625 en las luchas en Flandes y Lombardía, y toma parte en la campaña para sofocar la rebelión de Cataluña contra la Corona en 1640.

Desde 1625 escribe para la Corte un extenso repertorio dramático y en 1635 es nombrado director del Coliseo del Buen Retiro. Disfruta del máximo prestigio en la brillante corte de Felipe IV quien en 1636 lo honra nombrándole Caballero de la Orden de Santiago.

A mediados de los 40, Calderón se sume en una crisis tanto profesional como personal. Por un lado, los teatros públicos cierran en 1644 durante 5 años, lo que afecta a su producción literaria; por otro lado, tiene que hacer frente a la muerte de sus hermanos. En 1651 se ordena sacerdote y es capellán de la catedral de Toledo y más tarde capellán del rey.

Pedro Calderón de la Barca

Muere en Madrid el 25 de mayo de 1681. Es enterrado con todos los honores y, siguiendo los deseos expresados en su testamento, en el entierro su cuerpo es llevado "descubierto, por si mereciese satisfacer en parte las públicas vanidades de mi mal gastada vida".

LA VIDA ES SUEÑO

COMEDIA DEL INMORTAL

D. PEDRO CALDERÓN DE LA BARCA

QUARTA EDICIÓN

Precio UNA peseta.

BARCELONA

Su obra

Calderón representa la culminación del modelo teatral creado por Félix Lope de Vega. En total, su obra consta de ciento diez comedias y ochenta autos sacramentales.

Su primer éxito es la comedia cortesana *Amor, honor y poder*, estrenada en 1623 con motivo de la visita a Madrid del Príncipe de Gales. Entre 1630 y 1640 es la década más creativa de Calderón, con títulos como *El médico de su honra*, *El mágico prodigioso* o *El alcalde de*

Zalamea. Su obra cumbre es *La vida es sueño*, drama filosófico sobre la libertad del hombre. Escribe su primer auto sacramental (pieza dramática de carácter religioso que se representaba el día del Corpus) en 1634 para conmemorar la construcción del nuevo Palacio del Retiro. En 1635 es nombrado director del Coliseo del Buen Retiro.

Entre 1646 y 1649 los teatros están cerrados con motivo de los lutos por la reina Isabel y del príncipe Baltasar Carlos, y a la presión de los moralistas; Calderón sufre una crisis como dramaturgo. Pero a partir de esta crisis escribirá sus espléndidos autos sacramentales. Es el maestro indiscutible de este género, llevándolo a la perfección, sin dejar por ello de producir muchas comedias "de capa y espada", esto es, obras de enredo y costumbres, como *La dama duende* o *Casa con dos puertas*, de aspecto más ligero frente la seriedad de los autos.

Con motivo del Carnaval de 1680 compone *Hado y divisa de Leónido y Marfisa*, su última obra.

La España de Calderón

Felipe III

El ocaso del Imperio Español: los Austrias menores

La vida de Calderón transcurre durante los reinados de Felipe III, Felipe IV y Carlos II, llamados "Austrias menores" por su ineficacia política. España pierde gran parte del poderío territorial heredado de Carlos I o de Felipe II. La primera mitad del siglo está marcada por la Guerra de los Treinta años y España inicia su declive al perder la guerra.

El valido y los artistas

Los validos son miembros de la aristocracia en los que el rey deposita su total confianza para que ejerzan el gobierno efectivo en su nombre.
La relación del valido con los artistas es decisiva para estos últimos. Es conocido el trato favorable del Conde-Duque de Olivares, valido de Felipe IV, hacia algunos de ellos como Velázquez, que obtuvo el cargo de pintor de la Corte, o el joven Calderón, que se convierte en el dramaturgo de Palacio, donde produce sus primeras obras cortesanas y dirige las representaciones teatrales.

Conde-Duque de Olivares, Velázquez

El Barroco

En un contexto histórico de frentes bélicos y decadencia del Imperio Español, de inmovilismo social, de vuelta a una religiosidad tenebrista, de bancarrota de la Corona, asistimos al nacimiento del Arte Barroco, un movimiento artístico deslumbrante que trastoca lo racional, lo sencillo y lo clásico del Renacimiento en un gusto por lo desmesurado, lo artificioso y lo recargado. Corresponde en parte con el llamado Siglo de Oro, momento en que las artes y las letras alcanzan su apogeo en España. En literatura, la novela llega a su más alto nivel de universalidad y expresión con el *Don Quijote* de Cervantes y otros géneros claramente españoles como el de la novela picaresca; en poesía sobresalen autores como Góngora y Quevedo; el teatro también vive una edad dorada y destacan autores como Lope de Vega y el propio Calderón. Este periodo ve asimismo aparecer numerosos maestros de la pintura española, entre ellos El Greco, Velázquez, Zurbarán y Murillo.

El espacio teatral

Palacio del Buen Retiro

El teatro popular: los corrales de comedias

A principios del siglo XVII nacen los corrales de comedias, que eran, en su origen, teatros instalados en los patios al aire libre entre varias casas. Las representaciones, de carácter popular, tienen lugar de día y duran varias horas. Entremeses o piezas cortas, así como autos sacramentales, se representan entre actos de una comedia o drama más largos.

Al principio las representaciones no disponen de decorados, por lo que se puede situar la historia en los lugares más variados. El público pide novedades, de ahí un gran número de obras publicadas. Pronto se construyen los primeros teatros permanentes, como el de la Cruz y el del Príncipe, que mantienen la misma estructura que los corrales aunque son edificios levantados para ser teatros.

Corral de comedias de Almagro

El teatro cortesano: el Coliseo del Buen Retiro

El teatro también se realiza en la corte. Se habilitan salones de palacio y, para conseguir espectáculos sorprendentes, se recurre a todo tipo de obras de ingeniería y maquinaria. Entre 1630 y 1640, Alonso Carbonell construye en el Palacio del Buen Retiro un teatro fijo y cubierto que se llamó el Coliseo. Será el principal escenario para las obras de la corte y en él se representan, entre otras, las obras de Calderón. Es considerado como uno de los más avanzados en materia escénica de toda Europa.

El Coliseo del Buen Retiro

El Palacio del Buen Retiro

A propuesta del Conde-Duque de Olivares se construye en 1630 el Palacio del Buen Retiro, concebido como lugar para de reposo y esparcimiento del monarca. Será el escenario de numerosos festejos, representaciones teatrales, corridas de toros y juegos ecuestres durante el reinado de Felipe IV. El mismo rey lo califica como el lugar donde "Yo y mis sucesores pudiésemos, sin salir de esta corte, tener alivio y recreación".

La vida de la obra

Este drama filosófico y obra cumbre de Calderón fue probablemente escrito entre los años 1627 y 1629. La razón de que no se publique y estrene hasta 1635 obedece a que hasta este año existe una prohibición real de imprimir comedias en Castilla.

Carpe diem

Segismundo se descubre a sí mismo y al mundo que lo rodea, emergiendo de un mundo de oscuridad e ignorancia, y se apercibe de que las realidades y los sueños están construidos del mismo material, llegando a la conclusión de que los momentos de dicha hay que disfrutarlos al máximo.

La vida es sueño a través de los siglos

Ya en el siglo de su estreno en España, la obra se representaba en el extranjero, en ciudades como Bruselas, Ámsterdam, Hamburgo o Dresde. Y su éxito atraviesa todos los siglos y fronteras hasta llegar a hoy en día.

Cabe destacar la representación llevada a cabo por la Compañía Nacional de Teatro Clásico en la inauguración del Festival de Almagro en 2012, en donde el personaje de Segismundo estaba interpretado por una mujer.

La estructura y el estilo

Consta de tres jornadas o actos y está dividida en escenas. La obra sigue las reglas establecidas por Lope de Vega. Presenta una doble trama: la historia de Segismundo con todos los percances que sufre y la de Rosaura con su llegada a Polonia y su búsqueda para vengar el honor perdido. Tiene un lenguaje cuidado pero no excesivamente difícil. Utiliza el verso y usa figuras retóricas como la metáfora, el hipérbaton, la paradoja o la hipérbole.

LECTURAS (ELI) JÓVENES Y ADULTOS

TEST FINAL

Di si las siguientes afirmaciones son verdaderas (V) o falsas (F).

V F

1 El concepto que Segismundo tiene sobre la existencia
es algo que no evoluciona a lo largo de la obra. ☐ ☐

2 Los dos monólogos de Segismundo tratan sobre la
libertad del ser humano y el carácter onírico de la existencia. ☐ ☐

3 El personaje principal llega a la conclusión de que hay
un paralelismo entre la realidad y la ficción. ☐ ☐

4 El príncipe es autoritario y tirano como su padre. ☐ ☐

5 Clotaldo, el guardián de Segismundo durante su encierro,
lo ha privado también de todo saber y conocimiento. ☐ ☐

6 Rosaura está dispuesta a todo para recuperar el amor
de Astolfo. ☐ ☐

7 Dos personajes de la obra quieren recuperar algo. ☐ ☐

8 El consejo que Clotaldo le da a Segismundo es el hacer
siempre el bien. ☐ ☐

9 Al final, asistimos al triunfo del oráculo sobre el albedrío
humano. ☐ ☐

10 La caída del criado por la ventana es una de las
situaciones más cómicas de la obra. ☐ ☐

11 El rey Basilio decide darle una oportunidad a su hijo y
liberarlo de su prisión porque el pueblo se lo exige. ☐ ☐

12 *La vida es sueño* sigue la estructura clásica de
planteamiento, nudo y desenlace. ☐ ☐

13 La obra fue estrenada entre 1631-1635, época en la
predominan los problemas religiosos de la Reforma y
la Contrarreforma. ☐ ☐

PROGRAMA DE ESTUDIOS

Temas

Destino

Libre albedrío

Honor

Venganza

Amor

Tiranía

Filosofía

DESTREZAS

Expresar emociones y sentimientos

Expresar opiniones

Describir a personas

Contar experiencias pasadas

Resumir acontecimientos

Hablar de intenciones futuras

Narrar un evento que ha sucedido

Inventar una historia

CONTENIDO GRAMATICAL

Los pasados

El futuro

El imperativo afirmativo y negativo

El presente de subjuntivo

Por y para

Expresiones idiomáticas

Existe un argumento filosófico principal, cuyo tema primordial es el libre albedrío, es decir, la libertad del hombre para elegir su destino, concepto católico frente a la predestinación, creencia protestante; transcurre en paralelo un argumento accesorio, hecho para el disfrute del público, que es la honra de Rosaura, mezclado con el amor entre esta y Astolfo.

El mito de la caverna de Platón

Existen referencias en la obra al pensamiento hindú, la moral budista, la tradición judeocristiana y la filosofía griega. El influjo de Platón es evidente: el hombre vive en un mundo de sueños, tinieblas, cautivo en una cueva de la que solo podrá liberarse haciendo el bien.

Los personajes

Calderón construye personajes esquemáticos que poseen un carácter simbólico. *En La vida es sueño* encontramos por ejemplo a: **Segismundo**, orgulloso y rebelde, un personaje en plena evolución. **Rosaura**, la dama que quiere recuperar el honor perdido.

El rey **Basilio**, un sabio a quien lo único que interesa es el bienestar del pueblo, aunque el hado hace que todo se desestabilice. **Clotaldo**, cuyos rasgos principales son la fidelidad y la defensa del honor de la familia. **Astolfo** y **Estrella**, débiles y ambiciosos.

La figura del gracioso

El personaje del gracioso tiene como simple función hacer reír al público y relajar la tensión del drama. En principio es un personaje fiel y bondadoso.
Pero los graciosos de Calderón tienen otros rasgos, no son simples espectadores en la obra. Clarín es un personaje libre y hace lo que quiere. Es egoísta y solo lo mueve el interés. Únicamente se preocupa por sí mismo, sin mostrar sentimiento alguno por su ama Rosaura. Además adquiere una dimensión trágica, pues este personaje muere y su muerte es un castigo a quien se niega a afrontar los problemas de la existencia.